Sammlung Metzler
Band 237

Birgit Mayer

Eduard Mörike

J. B. Metzlersche Verlagsbuchhandlung
Stuttgart

CIP-Kurztitelaufnahme der Deutschen Bibliothek

Mayer, Birgit:
Eduard Mörike / Birgit Mayer. –
Stuttgart: Metzler, 1987.
(Sammlung Metzler; Bd. 237)
ISBN 3-476-10237-8

NE: GT

ISSN 0558-3667
ISBN 3-476-10237-8

SM 237

© 1987 J. B. Metzlersche Verlagsbuchhandlung
und Carl Ernst Poeschel Verlag GmbH
in Stuttgart. Umschlaggestaltung: Kurt Heger
Satz und Druck: Druckhaus Waiblingen
Printed in Germany

Inhalt

Vorwort

Eduard Mörike ist ein Dichter, der – zeitlebens wie posthum – nie völlig in Vergessenheit geriet, aber stets nach kurzer Würdigung wieder einer zeitweisen Nichtbeachtung anheimfiel. Dies hat zur Folge, daß der germanistischen Forschung noch heute vieles aufzuarbeiten bleibt.

Die derzeitige, kontinuierliche Beschäftigung mit Mörike und seinem Werk begann 1980. Ein Ende ist nicht abzusehen; im Gegenteil, das Interesse scheint sich über die Forschung hinaus in die Lehre zu verbreiten. Das vorliegende Bändchen trägt dem Rechnung.

Es ist gedacht als Einführung, die zu einem weiteren und eingehenderen Umgang mit dem Menschen und Dichter Mörike hinführen möchte. Jedes Kapitel ist deshalb als eigenständige Darstellung des jeweiligen Werks zu lesen, wodurch allerdings geringfügige Wiederholungen bedingt sind, meist in Form von Ausgangs- und Standortbeschreibungen sowie Verweisen.

Erfaßt sind Arbeiten und Untersuchungen, die bis Ende 1986 erschienen. Als Sekundärliteratur wurden bevorzugt die neueren Datums angegeben. Eine Gewichtung nach qualitativen Gesichtspunkten wurde in den Text selbst verlegt. Dies kommt insbesondere für Werke zum Tragen, wo das Interesse der Forschung bislang gering, zeitbedingt oder auf einzelne Punkte beschränkt war. Als vorrangiges Ziel galt in jedem Fall, alle Aspekte des gesamten Œuvre auch in der zitierten Literatur zu erfassen.

Abkürzungen

Diss.	=	Dissertation
Dt. dt.	=	Deutsch, deutsch
DVjS	=	Deutsche Vierteljahrsschrift für Literatur und Geistesgeschichte
E. A.	=	Erstausgabe
E. D.	=	Erstdruck (unselbständige Ausgabe)
E. M., M.	=	Eduard Mörike, Mörike
H.	=	Heft
Hg., hg.	=	Herausgeber, herausgegeben
Hs (s).	=	Handschrift(en)
Jg.	=	Jahrgang
Masch.	=	maschinenschriftlich
N. F.	=	Neue Folge
Slg.	=	Sammlung
Rb.	=	Rechenschaftbericht

Abgekürzt zitierte Literatur

Maync [= Mc] = Eduard Mörike, Werke. Hg. von Harry Maync. Neue kritisch durchgesehene und erläuterte Ausgabe. Leipzig, Wien 1914.
    I = Gedichte. Idylle vom Bodensee.
    II = Maler Nolten. Vermischtes.
    III = Erzählungen. Dramatisches. Übersetzungen.

Seebaß I = Eduard Mörike, Briefe. Hg. von Friedrich Seebaß. Tübingen 1939.

Seebaß II = Eduard Mörike, Unveröffentlichte Briefe. Hg. von Friedrich Seebaß. 2., umgearbeitete Auflage. Stuttgart 1945.

Fischer/Krauss I–II = Eduard Mörike, Briefe. Ausgewählt und hg. von Karl Fischer und Rudolf Krauss. Berlin 1903–1904.

Bauer = Ludwig Amandus Bauer, Briefe an Eduard Mörike. Hg. von Bernhard Zeller und Hans-Ulrich Simon. Marbach/N. 1976.

Hartlaub = Freundeslieb' und Treu'. 250 Briefe Eduard Mörikes an Wilhelm Hartlaub. Hg. von Gotthilf Renz. Leipzig 1938.

Kurz = Briefwechsel zwischen Hermann Kurz und Eduard Mörike. Hg. von Heinz Kindermann. Stuttgart 1919.

Schwind = Briefwechsel zwischen Eduard Mörike und Moritz von Schwind. Hg. von Hanns W. Rath. Stuttgart 1914.

Storm I = Briefwechsel zwischen Theodor Storm und Eduard Mörike. Hg. von Hanns W. Rath. Stuttgart 1919.

Storm II = Theodor Storm – Eduard Mörike, Theodor Storm – Margarete Mörike. Briefwechsel mit Storms „Meine Erinnerungen an Eduard Mörike". Hg. von Hildburg und Werner Kohlschmidt. Kritische Ausgabe. Berlin 1978.

Strauß = Ausgewählte Briefe von David Friedrich Strauß. Hg. und erläutert von Eduard Zeller. Bonn 1895.

Vischer = Briefwechsel zwischen Eduard Mörike und Friedrich Theodor Vischer. Hg. von Robert Vischer. München 1926.

Vischer/Strauß I–II = Briefwechsel zwischen Strauß und Vischer. In zwei Bänden hg. von Adolf Rapp. Stuttgart 1952–1953.

Lit. Echo = Ungedruckte Briefe Mörikes an David Friedrich Strauß. Mitgeteilt von Karl Walter. In: Das literarische Echo, 24. Jg., Okt. 1921–1922. Spalte 591–598.

Kauffmann = Eduard Mörike und seine Freunde (Ausstellungskatalog). Hg. von Fritz Kauffmann. Stuttgart 1965.

Katalog = Eduard Mörike. Katalog der Gedenkausstellung zum 100. Todestag (Nr. 25). Hg. von Bernhard Zeller. Stuttgart 1975.

Mörike-Chronik = Mörike-Chronik. Hg. von Hans-Ulrich Simon. Stuttgart 1981.

Sengle I–III = Friedrich Sengle, Biedermeierzeit. 3 Bände. Stuttgart 1971–1973.

Materialien

Ausgaben

»Als das Gespräch sich auf das poetische Schaffen überhaupt wandte«, schrieb Theodor Storm 1876 in seinen »Erinnerungen an Mörike«, soll jener bemerkt haben, »es müsse nur so viel sein, daß man eine Spur von sich zurücklasse; die Hauptsache aber sei das Leben selbst, das man darüber nicht vergessen dürfe« (Storm II, S. 151). Dieser sinngemäß sicher richtig zitierte Ausspruch Mörikes steht quantitativ im Einklang mit seinem Gesamtwerk. Die literarische Hinterlassenschaft seines einundsiebzigjährigen Lebens beschränkt sich (in der Gesamtausgabe von Harry Maync) auf einen Band Lyrik (einschließlich zahlreichen Gelegenheitsgedichten), der auch die »Idylle vom Bodensee« enthält; einen zweiten Band, der den Roman »Maler Nolten«, die »Wispeliaden« und verschiedene Zweckprosa (u. a. Mörikes Investiturrede) vereint; während in einem dritten seine sechs Prosaerzählungen, seine dramatischen Fragmente, sowie seine Übersetzungen antiker Lyrik zusammengestellt sind. Ebenso bescheiden war zu Mörikes Lebzeiten seine literarische Anerkennung in der Öffentlichkeit.

Nach dem Achtungserfolg seines »Maler Nolten« stieß Mörike mit dem Vorhaben, sein Frühwerk zu publizieren, immer wieder auf große Schwierigkeiten. Schon für seine Erzählung »Der Schatz« mußte er auf das von ihm selbst verlegte »Jahrbuch schwäbischer Dichter und Novellisten« zurückgreifen. Auch »Der Bauer und sein Sohn« konnte nur zusammen mit anderen eigenen Erzählungen in den von ihm selbst zusammengestellten Sammelbänden »Iris« (1839) bzw. »Vier Erzählungen« (1856) gedruckt werden. Sogar in Zeiten, in denen Mörike größere öffentliche Beachtung fand, blieb sein Gesamtwerk unberücksichtigt, das Interesse bezog sich stets nur auf wenige seiner Arbeiten. Nicht einmal nach seinem Tod kam der Gedanke an eine Gesamtausgabe auf. – Die Besinnung auf den Dichter, der jedoch nie vollkommen in Vergessenheit geraten war, und die umfassende Würdigung seines Oeuvre erfolgte erst anläßlich seines 100. Geburtstages.

Aus den zahlreichen nachfolgend erschienenen Gesamtausgaben

werden hier nur diejenigen genannt, die wegen ihres Textes oder den angefügten Erläuterungen die Mörike-Forschung bereichert haben und deshalb noch heute von Interesse sind. Von den älteren Ausgaben ist die von Harry Maync (1. Auflage 1909) die bedeutsamste. Sie ist trotz einzelnen Ungenauigkeiten hinsichtlich der Textwiedergabe zuverlässiger als die früherer Herausgeber und sie ist die einzige, die neben Einführungen in die einzelnen Werkgruppen, neben Sacherläuterungen und Literaturangaben einen relativ umfangreichen Lesartenapparat enthält. Obwohl Maync nur die wichtigsten Lesarten erfaßte, hat seine Mörike-Edition bis heute über weite Strecken noch immer interimsweise die Aufgabe einer historisch-kritischen Werkausgabe zu erfüllen. – Rudolf Krauß' Mörike-Ausgabe (1. Auflage 1905) bot als erste auch verstreut gedruckte Texte sowie Stücke aus dem Nachlaß. – Die vom Kunstwart durch Karl Fischer herausgegebene Ausgabe (1. Auflage 1906–1908) ist nicht nur bibliophil gestaltet, sie enthält auch Texte, die Maync später nicht in seine Edition aufgenommen hat. Allerdings ist sie teilweise ungenau in der Textwiedergabe und deshalb nicht ohne weitere Prüfung einer Arbeit zugrunde zu legen. – August Leffsons Ausgabe (1. Auflage 1908) schließlich unterscheidet sich von denen aller anderen Herausgeber darin, daß Leffson als einziger von Mörikes selbst vorgenommener Anordnung der Gedichte zugunsten einer chronologischen Reihenfolge abwich.

Eine umfassend historisch-kritische Ausgabe, die außer sämtlichen Werken und einem eigenen Band mit Lebenszeugnissen auch Mörikes gesamten Briefwechsel enthalten soll, wird derzeit sukzessive von den Mitarbeitern des Deutschen Literaturarchivs in Marbach/N zusammengestellt. Die drei ersten Bände (»Maler Nolten«, Erstausgabe und Bearbeitung) konnten 1967 bis 1971 vorgelegt werden; zwei Bände mit Mörikes Übersetzungen folgten 1976 und 1981. Inzwischen liegen außerdem zwei Bände mit Briefen vor: 1982 erschienen die Briefe 1811–1828, 1985 die des Zeitraums 1829–1832.

Unter den neueren Werkausgaben ist die Herbert G. Göpferts (1. Auflage 1954) zu nennen, die sich durch die Zuverlässigkeit ihrer Texte auszeichnet und inzwischen in siebenter Auflage vorliegt. Eine weitere beachtenswerte Ausgabe entstand 1967–70 im Winkler-Verlag nach den Texten der Ausgabe letzter Hand unter Berücksichtigung der Erstdrucke und Handschriften. Die dazu enthaltenen Anmerkungen, Zeittafel und Bibliographie stellte Helga Unger, die Autorin des »Mörike-Kommentars«, zusammen, das Nachwort verfaßte Benno von Wiese.

Die Editionen zum Gesamtwerk werden durch Faksimile-Ausgaben einiger handschriftlicher Gedichtsammlungen Mörikes ergänzt, die – 1925 bis 1975 – erschienen, den Verdienst in Anspruch nehmen dürfen, diese Urfassungen einem weiteren Personenkreis zugänglich gemacht zu haben. Von den zahlreichen und unter den verschiedensten Aspekten zusammengestellten Teilsammlungen seiner Werke sind hier nur diejenigen neueren Datums erfaßt. Ausgaben einzelner Werke, seien es Erstdrucke oder wichtige spätere Veröffentlichungen, finden sich im Anschluß an die einzelnen Kapitel des vorliegenden Bändchens, in denen Bezug auf sie genommen wird. Dasselbe gilt für die angeführte Sekundärliteratur, die bis Ende 1986 berücksichtigt ist.

Literatur

Gesamtausgaben

E. M's sämtliche Werke in sechs Bänden. Hg. von Rudolf *Krauß*. Leipzig 1905[1] (Neudruck 1922).

E. M. Werke, Hg. vom Kunstwart durch Karl *Fischer*. München 1906–1908.

M's Werke in vier Teilen. Hg. von August *Leffson*. Berlin, Leipzig, Wien, Stuttgart 1908 (1925[2]).

M's Werke. Hg. Von Harry Maync, Kritisch durchgesehene und erläuterte Ausgabe. 3 Bde. Leipzig, Wien 1909 (1914[2]; Neudruck 1924).

E. M. sämtlich Werke. Hg. von Herbert G. *Göpfert*. München 1954 (1981[7]).

E. M. Sämtliche Werke. (Nach dem Text der Ausgabe letzter Hand, unter Berücksichtigung der Erstdrucke und Hss.) 2 Bde. München 1967–70.

E. M. Werke und Briefe. Hist.-Krit. Gesamtausgabe, Hg. von Hans H. *Krummacher*, Herbert *Meyer* und Bernhard *Zeller* (u. a.). Stuttgart 1967ff.

Handschriften

Gedichte von E. M. Revidierte und mit Neuem vermehrte Slg. Manuskript des Verfassers. 1944, Faksimile lit. Seltenheiten. Hg. von Julius *Petersen*. Bd. 1, Leipzig 1925 [Original heute verschollen].

Günther, Otto: Ein Liederheft von E. M. Rechenschaftsbericht des Schwäb. Schillervereins 29/30 von 1924/25 und 1925/26, S. 63–73.

Faksimile der Gedichte E. M's in seiner Handschrift »Grünes Heft«. Stuttgart 1954.

Neue weltliche Lieder. Faksimile der Handschrift. Hg. von Hans-H. *Krummacher*. Marbach/N 1975.

Teilsammlungen

E. M. Jahreszeiten. Ausgew. und eingel. von Peter *Lahnstein*. Stuttgart 1974.

E. M. Sämtliche Gedichte. Übersetzungen. Auf Grund der Originaldrucke hg. von Herbert G. *Göpfert*. München 1975.

E. M. Gedichte. Auswahl u. Nachw. von Bernhard *Zeller*. Stuttgart 1977.

E. M. Alte unnennbare Tage . . . Ausgew. Gedichte. Hg. mit einem Vorwort von Hermann Hesse, Zeichnungen von E. M. und einem Essay von Wolf von Niebelschütz. Frankfurt/M 1978.

Am frisch geschnittenen Wanderstab. Durch Mörikes Leben und Land. Mit 120 Zeichnungen von Paul Jauch. Reutlingen 1980[3].

E. M. Werke in 1 Bd. Hg. von Herbert G. *Göpfert*. Dortmund 1982.

Du bist Orplid, mein Land. Texte von E. M. und Ludwig Bauer, gesammelt u. mit einem Nachw. versehen von Peter *Härtling*. Darmstadt, Neuwied 1982.

E. M. Novellen und Märchen. Vollständiger Text nach dem Wortlaut des 3. Bdes. der von Harry Maync hg. Werke. Nachwort, Zeittafel, Anm. und bibl. Hinweise: Hannelore *Schlaffer*. München 1982.

E. M.: Halb ist es Ernst, halb ist es Klage. Lyrik und Prosa. Hg. von Maria-V. *Leistner*. Mit 10 Zeichnungen von E. M. und einem Frontispiz. Leipzig 1983.

E. M. Sämtliche Gedichte und die »Idylle vom Bodensee«. Hg., sowie mit einem Nachwort, einer Zeittafel zu Mörike, Anm. u. bibl. Hinweise versehen von Heinz *Schlaffer*. München 1984.

Institutionen; Hilfsmittel und Verweise

Den größten Teil von Mörikes sowohl handschriftlichem wie sonstigem Nachlaß bewahren das Schiller-Nationalmuseum in Marbach/N, die Nationalen Forschungs- und Gedenkstätten der Klassischen Deutschen Literatur in Weimar und die Württembergische Landesbibliothek in Stuttgart. Kleinere Teile besitzen die Universitätsbibliothek in Tübingen, das Städtische Archiv Stuttgart und das Bad Mergentheimer Bezirks-Heimatmuseum. Die Sammlung in Marbach wurde inzwischen außerdem um die nicht uninteressanten Nachlässe Clara und Margarethe Mörikes ergänzt. Ebenso befinden sich dort mittlerweile die Sammlung Harry Maync' und die des Depositums Ludwigsburg.

Das Schiller-Nationalmuseum machte seine Kenntnisse sukzessive vor allem in seinen jährlichen Rechenschaftsberichten publik. Es organisiert darüberhinaus Ausstellungen, die durch in diesen Zusammenhängen entstandene, ausgezeichnete und umfassende Kataloge noch lange nachwirken. Insbesondere der Katalog der »Gedenkausstellung zum 100. Todestag« des Dichters, 1975 ist noch heute hervorragend geeignet, eine nähere Beschäftigung mit Mörike einzuleiten. Gute, sehr anschauliche Informationen kennzeichnet auch die ständigen Ausstellungen: in Marbach/N (»Kerner, Uhland, Mörike. Schwäbische Dichtung im 19. Jahrhundert«), in Bissingen-Ochsenwang (zu Mörikes Leben und Arbeiten während seiner Ochsenwanger Vikarzeit in den damals von ihm bewohnten Räumlichkeiten) und im Stuttgarter Wilhelms-Palais (»Mörike und seine Freunde«). Letztere umfaßt die ursprünglich private, seit 1965 öffentlich zugängliche Sammlung Dr. Fritz Kauffmanns, dem Sohn des mit Mörike von Kindheit an befreundeten Friedrich Kauffmanns (1803–1856).

Gesamtdarstellungen zu Mörikes Leben und Werk, sowie Aufsätze speziell zur Lyrik oder Prosa – im einzelnen im vorliegenden Bändchen dem Kapitel »Grundlagen seines Schaffens« zugeordnet – sind generell in Bibliographien und Bücherverzeichnissen erfaßt. Den rein biographischen Bereich deckt, im Fall Mörikes, die »Bibliographie der württembergischen Geschichte« ab. Forschungsberichte geben einen Einblick in den Stand der Forschung während einzelner Phasen. Nur Prawer berücksichtigte die gesamte zeitgenössische und posthume Rezeption Mörikes bis 1960. Bis 1970 erschienene Sekundärliteratur wurde noch in den »Mörike-Kommentar« Helga Ungers aufgenommen; den Zeitraum bis Ende 1986 erfaßt erstmals das vorliegende Bändchen.

Die Basis jeglicher literaturwissenschaftlicher Beschäftigung ist der Text eines Werks. Überlegungen zur Textgeschichte und -redaktion gehören zur grundsätzlichen Problematik jeder Edition, auch wenn sie gemeinhin kaum ins Leserbewußtsein dringen. Es zeichnet die Mörike-Forschung daher aus, daß sie spezielle Literatur zu diesem Thema aufweisen kann.

Von großer Bedeutung für eine Beschäftigung mit Mörike sind seine Briefe. Die bislang vollständigsten und textgenauesten Sammlungen sind die Bände Friedrich Seebaß' von 1939 und 1945. Die Briefe bis 1832 einschließlich sind außerdem inzwischen in zwei Bänden der Historisch-Kritischen Ausgabe verfügbar. – Für den übrigen Zeitraum bleibt Seebaß nach wie vor die wichtigste Quelle, da alle übrigen Briefsammlungen nur eine beschränkte Auswahl bieten.

Eine Anzahl auch bei Seebaß nicht gedruckter Briefe sind in Teilpublikationen des Briefwechsels mit bestimmten Freunden enthalten. Diese, jeweils auf die Korrespondenz mit einem einzelnen Freund beschränkten Bände geben insofern einen deutlichen Eindruck vom Wesen Mörikescher Freundschaft, als nicht nur Mörikes eigene Briefe, sondern – im Gegensatz zu den Briefsammlungen – der beiderseitige Briefwechsel in ihnen dokumentiert ist. Trotzdem schien es sinnvoller, diese Bände hier nicht summarisch zu erfassen, sondern sie wie im übrigen alle Sekundärliteratur den Kapiteln des vorliegenden Bändchens zuzuordnen, in denen auf sie Bezug genommen wird.

Literatur

Kataloge

E. M. 1804–1875–1975. Gedenkausst. zum 100. Todestag im Schiller-Nationalmuseum Marbach/N. Texte und Dokumente. (Ausst. u. Katalog: Bernhard *Zeller* u. a.).

Kerner, Uhland, Mörike. Schwäbische Dichtung im 19. Jh. Ständige Ausst. des Schiller-Nationalmuseums u. des Dt. Literaturarchivs Marbach/N (Ausst. u. Katalog: Albrecht *Bergold* u. a.). München 1980.

M. in Ochsenwang. Sonderheft für die Ausst. im Mörikehaus in Bissingen-Ochsenwang. Bearbeitet von Thomas *Scheuffelen*. Marbach/N 1983.

Fritz *Kauffmann*: E. M. und seine Freunde. Eine Ausst. aus der Mörike-Slg. Stadtgeschichtl. Slg. im Wilhelms-Palais Stuttgart. Stuttgart 1965.

Bibliographien und Bücherverzeichnisse

Bibliographie der württembergischen Geschichte. Hg. von Wilhelm *Heyd* u. a. Bd. 1–8, Stuttgart 1895–1956 (umfaßt die Lit. bis 1945). – Fortsetzung: Württembergische Geschichtsliteratur der Jahre 1946–1950. Hg. vom Württembergischen Geschichts- u. Altertumsverein durch Ewald *Lissberger*. Stuttgart 1952. – Seit 1953 laufend als Beihefte der »Zeitschrift f. württembergische Landesgeschichte«.

Seebaß, Bibliographie der sämtlichen Mörike-Briefe, Rb des Schwäb. Schillervereins 43 (1938/39), S. 11–65.

Leben, Werk, Deutung. Ein Bücherverzeichnis. Hg. von Hans-E. *Hofmann* u. Jürgen *Bieringer-Eyssen*. Stuttgart 1954.

Lehmann, Christine. Beiträge zur Personalbibliographie des Zeitraumes 1830–1880. In: Studien zur neueren dt. Lit., Berlin 1964, S. 215–216 u. S. 230–231.

Wiebe, Edith: Auswahl-Bibliographie. In: Doerksen, Viktor G. (Hg.), E. M., Darmstadt 1975, S. 447–457.

Handschriftenverzeichnisse

Müller, Manfred: Die neueren Dichterhandschriften der Württembergischen Landesbibliothek. In: Jahrbuch der Dt. Schillergesell. 1964, S. 383 [E. M.].

Scheffler, Walter: Slg. Dr. Fritz Kauffmann. E. M. u. sein Kreis. Gesamtverzeichnis der Handschriften, Bilder, Erinnerungsstücke u. Drucke. Stuttgart 1968.

Ders.: Die Handschriften des Schiller-Nationalmuseums. Teil 9. E. M. In: Jahrbuch der Dt. Schillergesell. 10, 1966, S. 571–600.

Kussmaul, Ingrid: Die Nachlässe und Sammlungen des Deutschen Literaturarchivs. Ein Verzeichnis. Marbach a. N. 1983, S. 351–353.

Forschungsberichte

Sengle, Friedrich: Mörike-Probleme. Auseinandersetzungen mit der neu-
esten M.-Literatur (1945–50). In: Germanisch-Romanische Monatsschrift N. F. 2 (1951/52), S. 36–46.

Prawer, Siegbert S.: M. u. seine Leser. Versuch einer Wirkungsgeschichte.
Mit einer M.-Bibl. u. einem Verzeichnis der wichtigsten Vertonungen.
Stuttgart 1960.

Meyer, Herbert: E. M. Stuttgart 1969³.

Storz, Gerhard: M. Ein Forschungsbericht (1951–1961). In: Der Deutschunterricht, Beilage zu. H. 3, 21 (1869), S. 8.

Unger, Helga: Mörike-Kommentar zu sämtlichen Werken. München 1970.

Doerksen, Victor G.: Die Mörike-Literatur seit 1950: Literaturbericht u.
Bibl. In: DVjS, 47 Jg. (1973), Sonderheft, S. 343–397.

Editionsprobleme

Janssen, Hans: Zur Druckgeschichte der Werke E. M's. In: Aus dem Anti-
quariat 1982, S. A 401–A 406.

Krummacher, Hans: Zu M's Gedichten. Ausgaben und Überlieferung. In:
Jahrbuch der Dt. Schillergesell. 5 (1961), S. 267–344.

Ders.: Mitteilungen zur Chronologie und Textgeschichte von M's Gedichten. In: Jahrbuch der Dt. Schillergesell. 6 (1962), S. 253–310.

Ders.: Zur Textgestaltung der nachgelassenen Gedichte M's. In: Die Nach-
laßedition. Bern 1979, S. 212–215.

Simon, Hans-U.: Zur Edition nichtgeschriebener Briefe M's. Eine Funktion
der Schreiben Dritter in Familienkorrespondenzen. In: Die Nachlaßedi-
tion, Bern 1979, S. 237–240.

Briefwechsel

E. M's Briefe. Hg. von Karl *Fischer* u. Rudolf *Krauss*. 2 Bde. Berlin 1903/04.

E. M. Briefe. Hg. von Friedrich *Seebaß*. Tübingen 1939.

E. M. Unveröffentlichte Briefe. Hg. von Friedrich *Seebaß*. Stuttgart 1945².

E. M. Briefe. Hg. von Werner *Zemp*. Zürich 1949.

Leben

Kindheit und Jugend

In Mörike, wie Georg Lukács, einen der »niedlichen Zwerge« (Prawer, M. und seine Leser, S. 83) unter den Dichtern des 19. Jahrhunderts zu sehen, ist gewiß die extremste Position. Weniger sträubt man sich gegen Karl Gutzkows Charakterisierung Mörikes als einen »Menschen in Schlafrock und Pantoffel« (Prawer, ebda., S. 22). Eine Betrachtungsweise, die letztendlich zur weitverbreiteten und schlichtweg unterstellten Auffassung führte, er sei geradezu der Inbegriff des behaglichen, schwäbischen Landpfarrers und nur in seiner Enge glücklich und heimisch gewesen. Scheinbar wird dies auch bestätigt durch Fotografien Mörikes, die meist den etwa sechzigjährigen, massigen Mann als Brustbild zeigen, wobei an seinem nicht unschönen Kopf die Mundpartie auffällt, deren resignierter Zug sich ausdrücklich jede Störung zu verbitten scheint.

In der Tat war sein Leben selbst für die damaligen Verhältnisse ungewöhnlich geruhsam, behütet fast. Und dennoch steckte er voller Träume und Hoffnungen, zugleich aber voller Verstörungen durch Schicksalsschläge, durch sein physisches und geistiges Unvermögen, sich die erträumte Existenz zu realisieren. Schon sein Jugendwerk, in dem die ganze Breite seines Dichtertums, ja seines gesamten Schaffens angelegt ist, gibt darüber Auskunft. Er war aber auch keine dämonische Gestalt, wie man ihn eine Zeitlang in krasser Umkehr sehen wollte. Der folgende Lebensabriß will hier keine neue Umwertung vornehmen, er will ebensowenig eine – längst fällige – neue Biographie ersetzen. Versucht werden soll, eine Vorstellung zu vermitteln vom Leben und den Lebensumständen des Dichters.

Bei Mörikes Geburt war Württemberg als Kurfürstentum Teil des zumindest nominell noch bestehenden Römischen Reichs Deutscher Nation gewesen. Es war das Jahr, in dem sich Napoleon zum französischen Kaiser krönte und begann, die staatliche Neuordnung Deutschlands zu diktieren. Als Mörike 1875 starb, war Württemberg, dessen Grenzen er kaum überschritten hatte, Teil des 1871 gegründeten Deutschen Reichs, mit Bismarck als Reichskanzler. Doch was an für die Weltgeschichte wichtigen Ereignissen zwischen diesen Zeitbegrenzungen liegt, nahm auf das Leben Mörikes kaum Einfluß.

Eduard Friedrich Mörike wurde am 8. 9. 1804 in der Garnisons- und Residenzstadt Ludwigsburg geboren. Die Stadt zählte zu Beginn des 19. Jahrhunderts knapp 6000 Einwohner, dazu kam eine Besatzung von 1500–2000 Mann. Außerdem residierte in ihr während den Sommermonaten der württembergische Hof, so daß die Bevölkerung immerhin etwa 7000–8000 Menschen umfaßte und Ludwigsburg damit nach Stuttgart zur bedeutendsten Stadt des Landes machte.

Mörikes Mutter, Charlotte Dorothea (1771–1841), geborene Beyer, war Pfarrerstochter. Man weiß wenig über sie. Doch Mörike rühmte sie in seiner »Investiturrede« (Mc II, S. 457): sie hätte »ohne studierte Grundsätze und ohne alles Geräusch eine unwiderstehliche, sanfte Gewalt« ausgeübt. Der Vater, Karl Friedrich Mörike (1763–1817), hatte ursprünglich selbst Pfarrer werden wollen, wechselte aber noch mit 23 Jahren zur Medizin und ließ sich nach umfassender, bestmöglichster Ausbildung in Ludwigsburg als Stadt- und Amtsarzt nieder. Eduard Mörike war von dreizehn Kindern das siebente. Von den älteren Geschwistern lebten bei seiner Geburt nur noch Karl (1797–1848) und Luise (1798–1827), die anderen waren gleich nach der Geburt gestorben. Marie Augustine (1806–1807), August (1807–1824), Friederike (geboren und gestorben 1809), Ludwig (1811–1896), Adolf (1813–1875) und Klara (1816–1903) wurden seine jüngeren Geschwister.

Ein besonders enges Verhältnis besaß Mörike zu seinem Bruder Karl – ihn erwähnte er ebenfalls in seiner Investiturrede – und den Schwestern Luise und Klara. Luise glaubte den jüngeren Bruder leiten und beschützen zu müssen, war »mit Ängstlichkeit jeden giftigen Hauch von dem reinen schuldlosen Gemüthe« abzuhalten bemüht (s. Brief Luises an Mörike vom April 1823; Katalog, S. 112). Als sie 1827 starb, trat Klara hierin, ganz selbstverständlich, ihre Nachfolge an. Sie hatte, obwohl wesentlich jünger als Mörike, zu ihm ein sehr enges Verhältnis. »Du begreifst gar nicht, welchen Einfluß jene auf mich ausübt, und wie wir uns von ferne verstehen; ja sie hilft mir oft, ohne es nur zu wissen, dem Verständnis meiner selbst auf die Spur« (Seebaß I, S. 29), sollte Mörike über sie 1824 an Wilhelm Waiblinger schreiben. Alle Frauen der Familie also übten auf Mörike großen Einfluß aus, bemutterten ihn, der sich selbst einen »unheimlich verzärtelten Gang [seines] inneren Wesens« (ebda., S. 28) zuschreibt und boten ihm zeitlebens Schutz vor äußeren oder emotionalen Belastungen. Über seine in Ludwigsburg verbrachten Lebensjahre hat Mörike nirgendwo explizit etwas niedergelegt, obwohl sie, wie man weiß, für sein Leben in verschiedener Hinsicht bedeutsam wurden: viele seiner Freunde kannte er schon aus diesen Tagen und Motive seiner Kinderzeit liegen Szenen in »Maler Nolten« und in »Lucie Gelmeroth« zugrunde. Selbst in Gedichten und Briefen späterer Jahre nahm er wiederholt auf diese Zeit Bezug.

Ostern 1811 schickte man den damals sechsjährigen Mörike auf die Lateinschule in Ludwigsburg, wo außer den alten Sprachen und Religion auch Französisch, Geschichte und Geographie unterrichtet wurde. Er scheint stiller und weniger lebhaft als seine Geschwister gewesen zu sein, denn schon zu diesem Zeitpunkt war seine Familie »ziemlich übereingekommen, [ihn] dem geistlichen Stande zu widmen« (»Investiturrede«; Mc. II, S. 458). 1815 erlitt sein Vater einen Schlaganfall, an dessen Folgen er nach hilflosem Hinsiechen 1817 starb. Zu Mörikes Glück erklärte sich sein Onkel, der Jurist im höheren württembergischen Verwaltungsdienst und spätere Präsident des Obertribunals Friedrich Eberhard von Georgii (1757–1830) bereit, den Jungen für ein Jahr zu sich nach Stuttgart zu nehmen, um ihm den Abschluß seiner Schulbildung zu ermöglichen. Damit war zugleich die Entscheidung, er solle Pfarrer werden, festgeschrieben. Pfarrer wurde man im damaligen protestantischen Württemberg überwiegend nach einem exakt und starr gehandhabten Bildungsweg. Mit vierzehn Jahren mußte das »Landexamen« bestanden werden, dann folgten vier Jahre »niederes« theologisches Seminar in Urach oder Maulbronn; schließlich, nach dem Eintritt ins Tübinger »Stift« drei bis vier Jahre theologisches Studium, eine in der Regel zweijährige Vikarszeit und endlich eine feste Pfarre. Diese Ausbildung, die auf öffentliche Kosten erfolgte, bedeutete nach bestandenem Landexamen eine sichere Versorgung auf Lebenszeit.

Mörike, immer nur mittelmäßiger Schüler, bestand das Landexamen nicht. Nur »gnadenhalber« (Katalog, S. 53), als Halbwaise und »sehr gutartiger Knabe« konnte er auf Georgiis Intervention hin ins Uracher Seminar aufgenommen werden. Die Seminare, deren Einrichtung auf Herzog Christoph von Württemberg (1515–1568) zurückgeht, wurden (und werden noch heute) von einem »Ephorus« (griech.: Aufseher) geleitet, der im Range eines Prälaten (heute: Oberstudiendirektor) stand. Die Lehre oblag zu Mörikes Zeit je zwei Professoren und zwei sogenannten Repetenten, Seminaristen mit abgelegter theologischer Fachprüfung. Ein Seminarjahrgang bildete eine »Promotion«, die Mitschüler waren die »Kompromotionalen«. Diese Internatsausbildung nützte Mörike zur Bildung bedeutsamer, zum Teil lebenslanger Freundschaften. Herausragend und von großem Einfluß auf sein späteres Leben und Werk waren die mit Wilhelm Hartlaub (1804–1885) und Johannes Mährlen (1803–1871).

Wilhelm Hartlaub war während Mörikes ganzem Leben sein treuester und engster Freund. Hartlaub, der selbst aus einem Pfarrhaus stammte, wurde (und blieb bis an sein Lebensende) einfacher Dorfpfarrer. Johannes Mährlen dagegen entschloß sich nach kurzer Vikarzeit Korrektor bei Cotta zu werden, bildete sich dann umfassend weiter und erhielt schließlich einen Lehrstuhl für Nationalökonomie und Gewerbestatistik am Polytechnikum in Stuttgart. Weil er sich eine Existenz außerhalb der Kirche verwirklichen konnte, erschien Mährlen für Mörike lange als nachahmenswertes, aber unerreichbares Vorbild. Ebenfalls aus Urach, wenn auch nicht aus dem Seminar rührte Mörikes Freundschaft mit Wilhelm Waiblinger (1804–1830) her. Waiblinger arbeitete damals in einer Schreibstube des Uracher Oberamtsgerichts, verweigerte dort aber bald in Ablehnung seiner beruflichen Situation jeglichen Dienst. Zweimal hatte er bereits versucht, in die zum theologischen Studium vorbereitenden Seminare aufgenommen zu werden, war aber jedes Mal abgelehnt worden, ohne daß ein eigentlicher Grund zu erkennen gewesen wäre. Schließlich wählte er den ebenfalls möglichen »weltlichen« Weg: statt des »Niederen Seminars« besuchte er zwei Jahre lang in Stuttgart das »Gymnasium Illustre«, um dann doch im Tübinger Stift einziehen zu können, wo er wieder mit Mörike zusammentraf.

Aber nicht nur die Freunde und die wissenschaftlich theologische Arbeit lernte Mörike in Urach kennen, er entdeckte auch die positive Seite der Krankheit, das Entbundensein von Pflichten. Maync schildert in seiner Mörike-Biographie, wie schon der junge Mörike immer wieder Krankheit vorgab, wenn es galt, Unangenehmem zu entgehen oder eine außer der Reihe liegende Vakanz zu erreichen.

Literatur

Biographien, Gesamtdarstellungen zum Leben und Werk
Doerksen, Viktor G.: E. M. Darmstadt 1975.
Ermatinger, Emil M.: M. – Das Geheimnis des Gemüts. In: Ermatinger, Deutsche Dichter 1700–1900, Bd. 2. Bonn 1949. S. 286–294.
Fischer, Karl: E. M's Leben und Werke. Berlin 1901.
Ders.: E. M's künstlerisches Schaffen und dichterische Schöpfungen. Berlin 1903.

Goes, Albrecht: M. Stuttgart 1954[3].

Ders.: E. M. In: Die großen Deutschen. Bd. 3. Berlin 1956. S. 284–292.

Hagen, Walter: Legenden um M. In: Ludwigsburger Geschichtsblätter 25 (1973), S. 111–124.

Hesse, Hermann: E. M. Leipzig 1911.

Höllerer, Walter: E. M. In: Höllerer, Zwischen Klassik und Moderne. Stuttgart 1958. S. 321–356.

Holthusen, Hans E.: E. M. In: Merkur 21 (1967), S. 1122–1140.

Ders.: E. M. in Selbstzeugnissen und Bilddokumenten. Reinbek bei Hamburg 1975[2].

Ibel, Rudolf: M. In: Ibel, Weltschau dt. Dichter, Bd. 2. Hamburg 1948. S. 183–266.

Jäger, Anneliese: Liebe und Leiden. Ein Lebensbild des Dichters E. M. Freiburg 1982.

Klaiber, Julius: E. M. Zwei Vorträge über ihn. Stuttgart 1876.

Kuh, Emil: E. M. In: ders., Kritische und literarhistorische Aufsätze. Wien 1910. S. 416–454.

Lahnstein, Peter: E. M. Leben und Milieu eines Dichters. München 1986.

Maync, Harry: E. M. Sein Leben und Dichten. Stuttgart, Berlin 1944[5].

Meyer, Herbert: E. M. Stuttgart 1969[3].

Muschg, Walter: E. M. In: ders., Pamphlet und Bekenntnis. Olten 1968. S. 81–88.

Niebelschütz, Wolf von: M. Bremen 1948.

Notter, Friedrich: E. M. Ein Beitrag zu seiner Charakteristik als Mensch und Dichter. Stuttgart 1875.

Sallwürk, Edmund von: E. M. Leipzig 1925[2].

Simon, Hans-Ulrich: M.-Chronik. Stuttgart 1981.

Slessarek, Helga: E. M. New York 1970.

Storz, Gerhard: E. M. Stuttgart 1967.

Ders.: E. M. – der Dichter zwischen den Zeiten. In: Jahrbuch der Dt. Schillergesell. 20 (1976), S. 492–503.

Wiese, Benno von: E. M. Tübingen, Stuttgart 1950.

Ders.: E. M. Ein romantischer Dichter. München 1979.

Zemp, Werner: Gespräch über M. In: M. Geschichte und Erzählungen. Hg. von Werner Zemp. Zürich 1945. S. 509–568.

Bildbiographien

Kauffmann, Fritz und Philipp *Harden-Rauch* (Hg.): E. M. Bilder aus seinem Leben. Stuttgart 1953.

Koschlig, Manfred: M. in seiner Welt. Stuttgart 1954.

Ders.: Unbekannte Bildnisse M's und seiner Freunde. In: Jahrbuch der Dt. Schillergesell. 10 (1966), S. 130–159.

Genealogisches

Schwäbisches Geschlechterbuch. Bearb. von Otto *Beuttenmüller* unter Mitwirkung von Ernst O. *Braasch*. Bd. 9 Limburg 1975. (zu M.:) S. 89–288.

Camerer, Wilhelm: Genealogische Nachrichten und Briefe zu E. M's Jugendgeschichte. Stuttgart 1910.

Huck, Jürgen: Adolf Mörike, Bruder des Dichters und Klavierbauer zu Neuss. In: Almanach für den Kreis Neuss 1984, S. 70–90.

Jehle, Martin Fr.: Adolph Mörike, der Klavierbauer. In: Schwäbische Heimat 26 (1975), S. 241–243.

Mörike, Klaus D.: Karl Mörike, der Bruder des Dichters. Zur Frage seiner »demokratischen Umtriebe«. In: Jahrbuch der Dt. Schillergesell. 19 (1975), S. 192–207.

Rath-Höring, Else u. a.: Die Ahnen des Dichters E. M. Ulm 1975.

Rath, Hanns W.: Von E. M's Vater. Zu dessen 100. Todestag, den 22. Sept. 1817. In: Zeitschrift für Bücherfreunde N. F. 9 (1917/18), S. 179–193.

Ders.: Familienbriefe aus dem Nachlaß M's und Nachrichten über das Leben des älteren Bruders des Dichters nebst unveröffentlichten Briefen. In: Zeitschrift für Bücherfreunde N. F. 11 (1919/20), S. 115–128.

Ders.: E. M., sein eigener Neffe, sein eigener Onkel. Ein Beitrag zur schwäbischen Familiengeschichte. Ludwigsburg 1923.

Wunder, Gerd: M's Herkunft. Eine soziologische Analyse. In: Württemberg, Franken 28/29 (1953/54), S. 287–294.

Lebensräume

Lahnstein, Peter: M's Umwelt. In: ders., Schwäbische Silhouetten. Stuttgart 1962. S. 114–127.

Galse, Heinrich: E. M's Jugendland. In: Ludwigsburger Geschichtsblätter 16 (1964), S. 135–156.

Muscat, Rosemarie: Der junge Mörike in Urach. Ein Bericht in Verbindung mit Auszügen aus seinen Briefen und Gedichten. Stuttgart 1985.

Frauen um Mörike

Goes, Albrecht: Die Frauen um Mörike. In: ders., Die guten Gefährten. Stuttgart 1942. S. 122–136.

Heuss, Theodor: Frauen um Mörike. In: ders., Vor der Bücherwand. Tübingen 1961. S. 131–142.

Briefwechsel mit Freunden

Freundeslieb' und Treu. 250 Briefe E. M's an Wilhelm Hartlaub. In: Rechenschaftsbericht des Schwäb. Schillervereins 17 (1912/13), S. 113–134.

Ungedruckte Briefe von E. M. und Wilhelm Waiblinger, Mitgeteilt von Otto *Güntter*. In: Süddt. Monatshefte 1 (1904), S. 854–859. (s. a. nächstes Kapitel).

Der junge Mörike

1822 trat Mörike mit den meisten seiner Uracher Kompromotionalen, aber auch mit demselben geringen Interesse an der Theologie

13

wie zuvor in der Schule, in das Tübinger Stift ein. Viel wichtiger als das Studium waren ihm seine Freundschaften. Zu den Uracher Freunden Wilhelm Hartlaub, Johannes Mährlen und Wilhelm Waiblinger gesellten sich Hermann Hardegg (1806–1853), Rudolf Lohbauer (1802–1873) und Ludwig Bauer (1803–1847). Etwas später stießen David Friedrich Strauß (1808–1874) und Friedrich Theodor Vischer (1807–1887) hinzu, die Mörike jedoch bereits aus der Ludwigsburger Jugendzeit kannte. Vischer war neben Strauß der kritischste Freund Mörikes. Er, der später Professor für Ästhetik und deutsche Literatur werden sollte, konnte zeitlebens nicht Mörikes Vorliebe für das Märchen begreifen. Strauß war Theologe und Philosoph. Aufgrund seines Hauptwerks »Das Leben Jesu« (1835/36), in dem er die Evangelienberichte als bewußte Mythenbildung der christlichen Ur-Gemeinde darstellte, sollte er seinen Lehrstuhl in Tübingen verlieren und als Gymnasiallehrer nach Ludwigsburg versetzt werden. Beide, Vischer wie Strauß, haben Mörikes Werk als, wenn auch teilweise recht unbequeme, Kritiker und Stimulatoren begleitet.

Neu an diesem Tübinger Lebensabschnitt der meist schon lange miteinander bekannten Studenten war, daß sich das Wesen ihrer Freundschaften wandelte. Nur das Verhältnis zu den »Ur-Freunden« Hartlaub und Mährlen blieb auch in Tübingen unangetastet, denn hier stand die zwischenmenschliche Beziehung im Vordergrund. Mit den anderen hingegen verband Mörike die Liebe zur Dichtkunst, weshalb sich ihre Freundschaft in wechselnden Konstellationen teils enger, teils lockerer gestaltete. Immer waren es Dreierbündnisse, in denen allein Mörike die Kontinuität gewährleistete.

Das erste »Triumvirat« umfaßte neben Mörike Hardegg und Waiblinger, der damals als einziger schon veröffentlicht hatte. Wegen seiner ausschweifenden Lebensweise war Waiblinger von Mörikes Familie nicht gern gesehen. 1826 wurde er vom Stift relegiert und ging daraufhin nach Rom, wo er nach kurzem unstetem Leben früh starb. An seine Stelle im Freundschaftsbund trat Lohbauer, ein unruhiger, Waiblinger verwandter Geist, der insbesondere von Mörikes Schwester Luise abgelehnt wurde: er teilte mit Waiblinger die Hölderlinbegeisterung und Graecomanie, mit Mörike die Beziehung zu Maria Meyer. Hardegg wurde später durch Ludwig Bauer ersetzt; diese Freundschaft erwies sich für Mörikes späteres poetisches Schaffen besonders fruchtbar. Mit ihm entstand in gemeinsamem Fabulieren und Spintisieren der Mythos »Orplid« mit all seinen Gestalten. Bauers Abgang aus dem Stift 1825 gab Mörike den Anlaß, die später im »Maler Nolten« verwandte Skizze »Der letzte König von Orplid« niederzuschreiben.

In diese Tübinger Zeit fielen auch Mörikes erste Beziehungen zum weiblichen Geschlecht, die weit mehr, als gemeinhin bekannt ist, von den Freundschaftsbünden mitbestimmt wurden. Klara – »Klärchen« – Neuffer (1804–1837) war seine Cousine. Mörike verkehrte von klein auf in ihrem Elternhaus, zuerst in Benningen bei Ludwigsburg, dann in Bernhausen auf den Fildern. Nach dem Tod von Mörikes Vater war der Kontakt sogar noch enger geworden, da Klärchens Vater Christoph Fr. L. Neuffer (1768–1836) die Pflegschaft für die Waisen sowie die Beratung der Witwe übernahm. Aus der Kinderfreundschaft Mörikes und Klärchen entwickelte sich eine Jugendliebe. Als Mörike 1823 von der für ihn überraschenden Verlobung Klärchens mit dem Pfarrer Christian August Schmid (1802–1874) erfuhr, den sie auch 1827 heiratete, reagierte er entsprechend verstört. Daraus jedoch *die* Katastrophe seines jungen Lebens zu machen, wie Camerer es tut, wäre verfehlt. Nicht nur interessanter, sondern auch plausibler ist von Graevenitz' These. Sie mißt der Liebe zu Klara Neuffer zwar ebenfalls einige Bedeutung zu, allerdings unter dem Aspekt der Freundschaft Mörikes zu Waiblinger: »Ich nannte einst ein Wesen mein, wie Du eines Dein nanntest: Dir wards genommen, aber Du hasts noch. Ich habs auch verloren, aber trauriger – zu einem andern ists übergegangen« (Brief vom 20. 12. 1821 an Waiblinger; Seebaß I, S. 10). Ganz deutlich wird dies über den Briefwechsel der beiden hinaus im Vergleich der verschiedenen Fassungen von Mörikes Gedicht »Erinnerung«.

Der Aspekt Freundschaft spielt auch in Mörikes zweiter, seiner größten Liebe, der zu Maria Meyer, eine Rolle. Maria Meyer war für Mörike, für seine Persönlichkeit und sein Schaffen von so großer Bedeutung, daß ihrer Person ein eigener Exkurs gewidmet sein soll. Hinweise zur literarischen Verarbeitung dieses Erlebnisses hingegen kommen im Kapitel über Mörikes Jugendlyrik zur Sprache.

Vor dem Hintergrund dieser privaten Schwierigkeiten überrascht andererseits Mörikes Fähigkeit, sich selbst zu beobachten und das eigene Wesen quasi zu sezieren. Eines der beeindruckendsten Beispiele solcher Selbstanalysen findet sich in einem Brief Mörikes an Waiblinger:

»Es ist überhaupt in meinem wirklichem Zustand ein besonderer peinlicher Zug, daß Alles, auch das Kleinste, Unbedeutendste, was von außen Neues an mich kommt – irgend eine nur mir einigermaßen fremde Person, wenn sie sich mir auch nur flüchtig nähert, mich in das entsetzlichste, bangste Unbehagen versetzt und ängstigt, weswegen ich entweder allein oder unter den Meinigen bleibe, wo mich nichts verletzt, mich nichts aus dem unheimlich verzärtelten Gang meines inneren Wesens herausstört und zwingt. Mit meiner älteren Schwester besonders und mit Klärchen treibe ich mich um [. . .].« (Seebaß I, S. 28/29)

Dieses Zitat beweist, wie fest verankert die Bindung an die Schwester Klara bereits zu diesem Zeitpunkt war. Eine Bindung, die an Intensität alle weiteren, einschließlich der zur späteren Ehefrau Margarethe, weit überragen sollte. Selbstanalytisch zeigt es auch Mörikes Unvermögen, vor allem seinen Unwillen auf, sich aus der ihm vertrauten Umgebung zu lösen.

Im Oktober 1826 bestand Mörike sein theologisches Abschluß-examen mit mittelmäßigem Erfolg. Eine aus dem Lateinischen übersetzte Abschrift seines Zeugnisses findet sich im Marbacher Katalog (1975; S. 88):

»Examiert den 17.–19. Okt. 1826. Den Text Matth. 5, 44.45 (Liebet eure Feinde, segnet die euch fluchen etc.) hat er mit nicht gewöhnlichen Sentenzen und Zeugnissen eines keineswegs schwachen Geistes illustriert. Hat mit wenig Gesten gepredigt. Die Lehrprobe hat er weniger glücklich abgelegt. Im Examen hat er ein ziemlich mangelhaftes, dennoch keineswegs zu verachtendes theologisches Wissen an den Tag gelegt.«

Den theoretischen Teil seiner Ausbildung hatte er damit beendet, nun sollte das Vikariat folgen, die letzte Station vor der Selbstän-digkeit in einer eigenen Pfarre. Sie schien jedoch im Fall Mörikes nicht enden zu wollen. Ungewöhnlich lange acht Jahre dauerte für ihn diese Interimszeit. Schon den frischgebackenen Vikar plagten religiöse Zweifel. Sie verstärkten sich zunehmend und ließen ihn auch an seiner Eignung als Pfarrer zweifeln. Er schob Krankheiten vor, um zumindest vorübergehend von »einem unerträglichen Joch« (Brief vom 9. 12. 1827 an Bauer; Seebaß I, S. 102) befreit zu sein. Die so gewonnene Freiheit wollte er nutzen, um sich eine andere Existenz, vorzugsweise als freier Schriftsteller aufzubauen. Bald aber sah er ein, daß er den damit verbundenen Zwängen (Schreiben als Muß und unter Termindruck) nicht gewachsen sein würde. Er wurde sich bewußt, daß er Ruhe und eine sichere Existenz – beides hatte er als unabdingbare Voraussetzung seiner Poesie bereits erkannt – noch weniger außerhalb als innerhalb der Kirche finden würde. Seine Rückkehr in den Vikardienst war die konsequente Folge.

Genauso konsequent, ob bewußt oder unbewußt, wahrscheinlich von Fall zu Fall verschieden, war sein häufiger Rückzug in Krankheitsvakanzen oder Kuren. Das Konsistorium verhielt sich immer entgegenkommend, genehmigte nicht nur seine Anträge, sondern ebenso finanzielle Hilfe. Es schob allerdings seine Berufung zum Pfarrer immer wieder hinaus. Die Liste seiner Stationen verlängerte sich: von Oberboihingen bei Nürtingen wurde er nach Möhringen auf den Fildern versetzt; von dort über Köngen (Dekanat Nürtingen) nach Pflummern bei Riedlingen an der Donau; dann zurück auf die Fildern nach Plattenhardt, danach nach Owen bei Kirchheim unter der Teck, anschließend nach Eltingen (bei Leonberg) und wieder zurück in die Nähe Kirchheims, nach Ochsenwang. Von dort gelangte er über Weilheim ein zweites Mal, jedoch nur kurz nach Owen, ehe er nach einer letzten, ebenfalls kurzen Vikarzeit in Kirchheim/Teck-Ötlingen auf die Pfarre von Cleversulzbach bei Heilbronn bestätigt wurde.

In privater Hinsicht war die Versetzung nach Plattenhardt im Jahr 1829 die bedeutsamste. In Luise Rau (1806–1891) lernte er die Tochter des eben verstorbenen Gottlob Friedrich Rau (1766–1828) kennen und lieben. Knapp drei Monate später waren sie bereits verlobt. In zahlreichen Briefen aus seinen wechselnden Vikarstellen versuchte er sie intensiv an seinem Leben, an seinen literarischen Interessen und Arbeiten teilnehmen zu lassen. Gerade dadurch überforderte er Luise Rau, die die Beziehung zu Mörike unter dem Gesichtspunkt einer gemeinsamen Zukunft in einem Pfarrhaus gesehen hatte und die im Laufe der Zeit allmählich daran zweifelte, ob Mörike dieses Ziel je erreichen würde. 1833 löste sie die Verlobung, ein Jahr bevor er die Pfarre in Cleversulzbach erhielt. Statt einer Ehefrau zogen Mutter und Schwester mit ihm ins Pfarrhaus. Luise Rau heiratete sehr viel später, 1845, den verwitweten Pfarrer Ernst Heinrich Schall.

Trotz der Unstetigkeit dieser Wanderjahre muß diese Zeit im Nachhinein die produktivste und wichtigste in Mörikes Leben genannt werden. Nicht nur wegen der zahlreichen Gedichte, von denen viele unter seine schönsten und bekanntesten zählen, nicht nur wegen seines ersten und einzigen Romans, dem »Maler Nolten«. Wichtig ist diese Spanne seines Lebens, weil in ihr der gedankliche Grundstock seines gesamten poetischen Schaffens gelegt wurde.

Literatur

Der Tübinger Freundeskreis
Müller, Ernst: E. M. und sein Kreis. In: ders., Stiftsköpfe. Heilbronn 1938. S. 327–367.
Jugendbriefe M's an Wilhelm Waiblinger. Mitgeteilt von Hermann *Fischer*. In: ders., Beiträge zur Literaturgeschichte Schwabens. Bd. 1. Tübingen 1891. S. 148–179.

E. M.: Wilhelm Waiblinger. Mitgeteilt von Otto *Güntter*. In: Jahresbericht des Schwäb. Schillervereins 1924/15, S. 95–117.

Rath, Hanns W.: E. M. und Wilhelm Waiblinger. Frankfurt/M 1921.

Lang, Wilhelm: Rudolf Lohnbauer. In: Württemberg. Vierteljahreshefte für Landesgeschichte N. F. 5 (1896), S. 149–188.

Ludwig *Bauer*. Schriften. Nach seinem Tode in einer Auswahl hg. von seinen Freunden mit Briefen an M. Stuttgart 1847.

Ludwig Amandus *Bauer*: Briefe an E. M. Hg. von Bernhard Zeller und Hans-Ulrich Simon. Marbach/N 1976.

Meyer, Herbert: M's Weggefährte nach Orplid. In: Die Pforte 1 (1948), S. 521–543.

Maync, Harry: David Friedrich Strauß und E. M. (Mit 12 ungedruckten Briefen). In: Dt. Rundschau 29 (1903), H. 7, S. 94–117.

Walter, Karl: Ungedruckte Briefe M's an David Friedrich Strauß. In: Das lit. Echo 24 (1922), S. 591–598.

Ausgewählte Briefe von David Friedrich *Strauß*. Hg. und erläutert von Eduard Zeller. Bonn 1985.

Briefwechsel zwischen E. *M.* und Friedrich Theodor *Vischer*. Hg. von Robert Vischer. München 1926.

Briefwechsel zwischen David Friedrich *Strauß* und Friedrich Theodor *Vischer*. Hg. von Adolf Rapp. 2 Bde. Stuttgart 1952/53.

Literarische Einflüsse

Beck, Adolf: M's Verhältnis zu Hölderlin. Bezauberung und Grenze des Verstehens. In: Schwäb. Heimat 26 (1975), S. 229–234.

Graevenitz, Gerhart von: Die Kunst der Sünde. Zur Geschichte des literarischen Individiums. Tübingen 1978.

Lebensräume

Proelß, Johannes: M's Jugenddichtung und die Filderlandschaft. In: Schwabenspiegel 1 (1907/08), Nr. 48, S. 377–380; Nr. 49, S. 390–392.

Ders.: M. in Möhringen auf den Fildern. In: Schwäb. Merkur, 12. u. 19. Sept. 1908, Nr. 27, S. 9f.; Nr. 439, S. 13f.

Temborius, Heinrich: Alte unnennbare Tage. Das Leben des jungen M. Königsberg 1939.

Liebesbeziehungen

Camerer, Wilhelm: E. M. und Klara Neuffer. Marbach/N 1908. – Nachträge in den Rb. 13 u. 14 des Schwäb. Schillervereins; 13 (1908/09), S. 101–114; 14 (1909/10), S. 87–105.

Eines Dichters Liebe. E. M's Brautbriefe. Hg. von Walter *Eggert-Windegg*. München 1908.

Luise. Briefe der Liebe, an seine Braut Luise Rau geschrieben vom E. M. Hg. von Hanns W. *Rath*. Ludwigsburg 1921.

E. M. Briefe an seine Braut Luise Rau, Hg. von Friedhelm *Kemp*. München 1965.

Exkurs: Maria Meyer

Maria Meyer (1802–1865) ist für die Biographie Mörikes von besonderer Bedeutung. Ihr galt seine einzige, wirkliche und leidenschaftliche Liebe. Sie war die Ursache für die Verstörung des Menschen Mörike, inspirierte ihn aber als Dichter zur literarischen Verarbeitung seiner Erlebnisse. Dokumente, die über die Beziehung der beiden Auskunft geben könnten, sind, soweit sie im Besitz Mörikes waren, weitgehend verschollen. Das wenige Bekannte wurde häufig abgedruckt, gab auch immer wieder Anlaß zu biographischen Romanen, sogar bis in die jüngste Zeit: so Utta Knepplers »Peregrina« (1982) und Peter Härtlings »Die Dreifache Maria« (ebenfalls 1982), der mit seiner literarischen Umsetzung wohl das meiste Gespür für das Wesen Mörikes beweist.

Die Biographie Maria Meyers selbst ist immer noch weitgehend unbekannt, trotz Paul Corrodis Nachforschungen, die er bereits 1925 veröffentlichte. Seine Ergebnisse sollen daher im folgenden in den wesentlichsten Zügen kurz referiert werden. Die Großeltern Maria Meyers lebten mit elf Kindern als gutbürgerliche Metzgermeistersfamilie in Schaffhausen. 1802 wurde Maria Meyer, als erstes Kind, wie später zwei weitere, unehelich geboren. Ab 1815 ist ihre Mutter in Schaffhausen als Prostituierte bekannt. 1817 zog die pietistisch-religiöse Schwärmerin Juliane von Krüdener (1764–1824) durch Schaffhausen. In ihrem Gefolge verschwand die fünfzehnjährige Maria. Ende November desselben Jahres erschien sie allein wieder in Schaffhausen, wo sie wegen »physischer und moralischer Verdorbenheit« als »korrektionelle Gefangene« bis zu ihrer Konfirmation 1819 im Arbeitshaus lebte. Nach ihrer Entlassung hielt sie sich zwei Jahre in Rheinfelden im Aargau, in Bern und in Baden (Schweiz) auf, dann verlor sich ihre Spur, bis sie 1823 als »Schenkmädchen« in Ludwigsburg auftauchte, wo Lohbauer und Mörike sie kennenlernten. Lohbauer brachte seine Mutter dazu, sie in ihr Haus aufzunehmen und blieb – wie Mörike – von Tübingen aus mit ihr im Briefwechsel, bis sie ohne Angabe von Gründen wieder aus Ludwigsburg verschwand. Kurze Zeit später erhielt Mörike, erst von Maria, dann von einem Heidelberger Maler, Christian Köster (1784–1851), Nachricht, sie sei in Heidelberg, müsse aber ihres schlechten Benehmens wegen bald fort. Über Freiberg kam sie ein zweites Mal nach Tübingen. Mörike wollte sie jedoch nicht wiedersehen. Er reiste überstürzt, von Bauer und Mährlen eskortiert, nach Hause und suchte Zuflucht bei seiner Mutter und der Schwester Luise. Im August 1824 kehrte Maria nach Schaffhausen zurück, wo sie knapp zwei Jahre blieb, in denen sie den Putzmacherberuf erlernte. Am 25. 4. 1826 erschien sie noch einmal in Tübingen und suchte erneut die Begegnung mit Mörike, der sich aber nach wie vor weigerte, sie zu sehen. Von Tübingen aus wandte sie sich nach Ludwigsburg, um dort bei einer Putzmacherin in Dienst zu treten. Ob und wie lange sie dies tat, ist unbekannt. Abermals verlor sich ihre Spur.

Vom weiteren Lebensweg Maria Meyers wußte Mörike nur aus den 1841 gedruckten Memoiren Ernst Münchs, bei dem sie in Rheinfelden/Aargau in Stellung gewesen war. Wie Mörike mit dessen Buch »Erinnerungen, Reisebilder, Phantasiegemälde und Fastenpredigten aus den Jahren 1828–1840« bekannt geworden war, ergibt sich aus einem Brief Mörikes an Hartlaub, den Corrodi allerdings nicht erwähnt.

In diesem Brief berichtete Mörike von der Wirkung eines privaten Konzertabends mit Musik aus Mozarts »Don Giovanni«, der allerlei Altes und Verdrängtes, sowohl Schmerzliches wie Schönes, in ihm erweckt habe. Weiter heißt es:

»Weil hier von einer Noli me tangere-Vergangenheit die Rede ist, so muß ich auch noch sagen, daß mir Strauß einen langen Abschnitt in den Denkwürdigkeiten (wenn das der Titel ist) des verstorbenen Hofrats Ernst Münch aufschlug, in welchem er die Geschichte einer jungen Schwärmerin aus der Schweiz und seine dortigen Jünglings-Erlebnisse mit ihr erzählt. Dieselbe soll einerlei Person mit Maria Meyer sein, vor unserer Zeit. Bei vielem, was auffallend zutrifft, ist fast ebensoviel, worin wenigstens ich sie nicht erkennen konnte. Da aber Strauß mit Münch darüber sprach und sich die Identität der Personen bestätigen ließ, so ist das Mangelhafte und Übertriebene der Darstellung, die eine widerliche Eitelkeit des Verfassers ausspricht und mitunter sehr plump ist, mir nur verdrießlich gewesen.« (Brief vom 20. 3. 1843, Seebaß I, S. 575f.)

Nach sechzehn Jahren war dies das erste und zugleich letzte Mal, daß Mörike in einem Brief auf Maria Meyer zu sprechen kam. Ihre von Corrodi bezeugte spätere Rückkehr in bürgerliche Verhältnisse blieb Mörike verborgen. In den Dreißiger Jahren hatte Maria Meyer in Schaffhausen den Tischlergesellen Andreas Köhler (1805–1875) kennengelernt, mit dem sie am 21. 3. 1836 dort getraut wurde. Das Paar unternahm in verschiedenen Orten um Winterthur mehrmals den Versuch, sich eine feste Existenz als Handwerker zu schaffen, konnte aber allen Anstrengungen und ihrem untadeligen Lebenswandel zum Trotz, als Fremde und Neuzugezogene, nicht ausreichend verdienen. Ab 1851 lebten sie bis zu ihrem Tode zurückgezogen in Münchwilen, Kanton Thurgau.

Corrodi, Paul: Das Urbild von M's Peregrina. In: Jb. der lit. Vereinigung Winterthur 1925, S. 47–102 (Neudruck: Kirchheim/Teck 1976).

Der reife Mörike

»Ein schönes Werk von innen heraus zu bilden, es zu sättigen, mit unseren eigensten Kräften, dazu bedarf es [. . .] vor allem Ruhe und einer Existenz, die uns erlaubt, die Stimmung abzuwarten« (Seebaß I, S. 461),

schrieb Mörike in einem Brief vom 26. 6. 1838 an Hermann Kurz. Nachdem er im Mai 1834 vom Konsistorium zum Pfarrer von Cleversulzbach ernannt worden war, nach ungewöhnlich langen Jahren als Vikar, schienen nun die äußeren Voraussetzungen – Selbständigkeit, Sicherheit, Seßhaftigkeit – gegeben, durfte er auf Muße für seine Poesie hoffen. Tatsächlich entstanden in seiner Cleversulzbacher Zeit die Erzählungen »Lucie Gelmeroth«, »Der Schatz«, »Der Bauer und sein Sohn«, der Operntext »Die Regenbrüder«, seine 1838 erstmalig veröffentlichte Sammlung eigener »Gedichte« und 1840 die »Classische Blumenlese«, »[. . .] nach den besten Verdeutschungen teilweise neu bearbeitet, mit Erklärungen für alle gebildeten Leser«.

Doch bald wurde ihm die langersehnte Pfarre zur Last: »Der angenehmste Tag für einen Pfarrer ist der Montag, wo er den abgelegten Ranzen noch auf dem Buckel fühlt« (Katalog Kauffmann, S. 43). Eine andere seiner Notizen macht noch deutlicher, wie wenig berufener Geistlicher er immer noch war, obwohl er nach einem kurzen Versuch beruflich anderweitig unterzukommen mit »Vivat Vicariat« (Brief vom 20. 12. 1828 an Mährlen; Seebaß I, S. 133) in den Kirchendienst zurückgekehrt war: »Soweit es seine Gesundheit zuließ, hat er die ländliche Idylle behaglich genossen. Mit tausend Dingen hat er sich im Pfarrhaus, in Pfarrgarten, im Wald und Feld beschäftigt. Nur die Tätigkeit, deretwegen ihn das Konsistorium in das Dorf geschickt hatte, das Predigen, war ihm zuwider.« (Katalog Kauffmann, S. 43)

Mörike ließ sich immer wieder krankschreiben und bestellte sich nun selbst Vikare. Außerdem bat er wiederholt Hartlaub um Hilfe: »Sei [. . .] doch so gut und schicke mir [. . .] für die Sonntage von Ostern an ein Dutzend Deiner Predigten. Ich werde mich ihrer mit einem ganz anderen Gefühl als jeder fremden bedienen. Auch etliche Oratiunculas nuptiales und mortales.« (Brief vom 20. 3. 1843; Seebaß I, S. 581)

Das Konsistorium zeigte sich lange geduldig. Als Mörike dann doch aufgefordert wurde, seinen Platz endlich auszufüllen, zog er die Konsequenz. Am 3. 6. 1843 schrieb er an König Wilhelm I. von Württemberg, die zuständige Instanz, und bat ihn um Entlassung aus seinem Amt. Schon nach wenigen Wochen erhielt er Bescheid von der Bewilligung seines Gesuchs, das ihn – 39 Jahre alt – zum Pensionär, mit der Hälfte der Bezüge eines Pfarrers machte.

Ob und in welchem Umfang die psychische Situation die Ursache für seine körperliche Insuffizienz war, ist bisher nicht ausreichend untersucht worden. Anhaltspunkte zur Beurteilung liefern einige seiner Briefe, insbesondere die früheren. An Mährlen schrieb er am 24. 9. 1827 unter anderem: »Du wirst lachen, wenn ich Dir versichere, daß ich mit meinem Pfarrer anfange zu glauben, daß ich hypochondrisch bin. Kann ich das nur alle Leute bereden, so hoffe ich wieder gesund zu werden.« (Seebaß I, S. 96) Wenig später lieferte er die Begründung für sein scheinbar widersprüchliches Vorhaben: »ich bin der redlichste Kerl, dem nicht darum zu tun ist, reich zu werden, sondern nur irgendwo unterzukommen, wo nicht gepredigt wird.« (Brief vom 28. 10. 1827 an Mährlen; Seebaß I, S. 95) Auch Bauer gegenüber äußerte er sich in diesem Sinne. So offen sich Mörike also anfangs gegenüber seinen Freunden gab, so sehr er sich selbst der eigentlichen Ursachen seiner Krankheit bewußt war, später wollte er das alles nicht mehr wahrhaben. Er begann sogar selbst allmählich an seine Krankheit zu glauben. Dazu trug die Furcht bei, durch zu offene Äußerungen seine ihm letztlich doch gemäßeste Existenz zu gefährden. Für Mörike, der in seinen Briefen immer wieder mit überraschend objektiven und nüchtern-klaren Selbstanalysen erstaunt, war sein Verhalten bewußtes Mittel zum Zweck. Sein geheimes Bewußtsein darüber blieb, auch als sich seine ›Krankheiten‹ im Laufe der Zeit zur wirklichen Krankheit gewandelt hatten.

Nach seiner Pensionierung hielt er sich mit seiner Schwester Klara, die Mutter war noch in Cleversulzbach gestorben, ein halbes Jahr bei Wilhelm und Konstanze Hartlaub in Wermutshausen/Hohenlohe auf, ehe er nach Schwäbisch Hall und dann, seiner Gesundheit wegen, nach Bad Mergentheim zog. Die nun folgenden acht Jahre waren davon bestimmt, daß Mörike, vom Zwang beruflicher Verpflichtungen befreit, seinen Steckenpferden – Zeichnen, Lesen, Steine sammeln – leben konnte, allerdings unter bescheidenen wirtschaftlichen Verhältnissen, wie sein Haushaltungsbuch aus dieser Zeit beweist.

Die veränderte wirtschaftliche Lage wurde ihm besonders deutlich, als er kurz nach seiner Pensionierung, noch 1843, Friederike Faber (1816–1901), die Schwägerin eines befreundeten Pfarrers kennen lernte. Diese Beziehung ist weitgehend unbekannt. Hinweise finden sich nur bei H. W. Rath (»Gretchen. Eines Dichters Schicksal«) und in Simons »Mörike-Chronik«. Im November 1844 erwog Mörike die Heirat mit Friederike und beriet sich im Februar 1845 darüber mit seinen Freunden. Wegen seiner bescheidenen finanziellen Möglichkeiten stellte er dieses Vorhaben jedoch vorerst zurück. In der Folgezeit setzte eine intensive Suche nach einer für Mörike geeigneten Beschäftigung ein, trotz Einschaltung aller eigenen und fremden Beziehungen fand sich jedoch nichts Passendes. Noch im April 1845 hoffte Mörike, der inzwischen in Bad Mergentheim bei Familie Speeth eingezogen war, auf sowohl berufliches wie auch familiäres Glück. Erst als sich im Juni 1845 erwies, daß für eine Anstellung auch nicht die geringsten Aussichten bestanden, resignierte Mörike und begrub seine Heiratspläne.

Allzu tief kann ihn dies nicht getroffen haben, denn Mitte Juli schrieb er bereits an der »Idylle vom Bodensee«, die er laut eigener Aussage »in diesen Tagen bei heiterer Stimmung angefangen habe« (Brief vom 4. 8. 1845 an Marie Mörike; Seebaß II, S. 161). Sie dürfte aber nicht, wie häufig vermutet wird, durch ein Verliebtsein in Margarethe Speeth (1818–1903) hervorgerufen worden sein. Auskunft gibt das bereits erwähnte Buch Raths. So umstritten es bei seiner Veröffentlichung war (es galt als parteiische, gegen Margarethe gerichtete Darstellung ihrer Ehe mit Mörike), so deutlich sprechen doch die darin enthaltenen Dokumente für sich: Mörike wurde nach und nach in die Freundschaft seiner Schwester zu Margarethe immer enger einbezogen. Wieder lebte Mörike, wie in seiner Jugend, in einer Art Freundschaftsbund, dieses Mal mit den »geliebten Schwestern«, wie er sie inzwischen zu nennen pflegte. Dieser sechseinhalb Jahre dauernde Zustand wurde zuletzt durch die Mergentheimer Moralvorstellungen immer weniger toleriert. Eine Lösung mußte gefunden werden. Trennung kam nicht in Frage. Deshalb beschlossen die Geschwister Mörike, nicht der Dichter allein, 1851, um Margarethes Hand anzuhalten. Mörike war 48, Margarethe 33 Jahre alt. Wohnung nahmen sie, zusammen mit Klara, in Stuttgart.

Die Wendung ins Solide, ins im bürgerlichen Sinn Vertrauenswürdige, gab Mörikes Arbeitslust Auftrieb. Seine bekanntesten Erzählungen entstanden 1853 und 1855, das »Stuttgarter Hutzelmännlein« und »Mozart auf der Reise nach Prag«. Außerdem gab er am Stuttgarter Katharinenstift Literaturunterricht. Solche Aktivität konnte bei Mörike nicht lange dauern. Den Unterricht gab er bald wieder auf und in den neunzehn Jahren, die er noch leben sollte, entstand außer Gelegenheitsgedichten nur wenig: das Gedicht »Erinna an Sappho« (1863) und die »Bilder aus Bebenhausen« (ebenfalls 1863). Die übrige Zeit wartete er die Stimmung ab, die er für die Überarbeitung seines Romans »Maler Nolten« als nötig erachtete. Nach der Geburt seiner Töchter Fanny (1855–1930) und Marie (1857–1876) hätte sein Glück vollkommen sein können. Doch Anfang der siebziger Jahre häuften sich wohl schon lange bestehende Spannungen, nicht zuletzt durch die schwierige Dreierkonstellation, in der Klara weitreichende Rechte in Anspruch nahm. In einem Brief an Gretchen schrieb sie:

»Unsere gute Mutter hat Eduard und mich auf dem Totenbette aufeinander verwiesen, und so werde ich auch, so lange mir und ihm Gott das Leben schenkt, nie von seiner Seite weichen, wobei aber Deine billigen Rechte ganz unangefochten dabei bestehen können; nur mußt Du von nun an wieder, damit alles friedlicher gehen kann, die meinigen auf Bruder und Nichten auch anerkennen, denn von solchen kann ich nicht lassen. [. . .] Eine Schwester, welche von früher Kindheit an so eines Sinnes mit dem Bruder war, dann 10 Jahre lang ihm in seinem eigenen Haus zur Seite stand, kann dem Herzen nach nicht ferner stehen als seine Frau.« (undatiert, nach dem 16. 3. 1873, Rath, S. 130)

Im Herbst 1873 trennte man sich ohne Scheidung: Margarethe lebte mit Fanny, Mörike mit Klara und Marie. Erst wenige Tage vor seinem Tod kam es zu Wiedersehen und Versöhnung.

Werke wie »Die Idylle vom Bodensee« und später »Mozart auf der Reise nach Prag« hatten ihm ein breiteres Lesepublikum erobert, doch erst ab 1852 wurden Mörike Ehrungen zuteil, die der Person des Dichters und seinem Gesamtwerk galten: 1852 ernannte ihn die Universität Tübingen zum Ehrendoktor, 1856 erhielt er den Titel eines Professors. Der König empfing ihn in Audienz, die Königin wohnte häkelnd einer seiner Literaturstunden bei. Mörike war plötzlich über den lokalen Rahmen hinaus bekannt. Beim Absatz seiner Bücher konnten bescheidene Erfolge erzielt werden, seine literarischen Beziehungen dehnten sich über den bisherigen Freundeskreis und über seine Bekanntschaft zum schwäbischen Dichterkreis um Justinus Kerner (1786–1862) aus.

Am bedeutsamsten wird sein Verhältnis zu Theodor Storm (1817–1888) angesehen. Doch von einer Altersfreundschaft kann keine Rede sein. Storm hatte Mörike einmal in Stuttgart besucht und seine Erinnerungen an dieses Treffen erst Jahre später aufgeschrieben. Zu einem mehr als freundlich-formellen, nicht sehr umfangreichen Briefwechsel hatte es nicht geführt. Erst Gretchen intensivierte nach Mörikes Tod den brieflichen Kontakt zu Storm. Storms Briefe sind jedoch insofern von Bedeutung, als sie belegen, daß Mörike erst durch die »Mozart«-Novelle weiteren Leserkreisen im norddeutschen Raum bekannt wurde. Beiderseitig inspirierend wirkte dagegen Mörikes Bekanntschaft zu dem Maler Moritz von Schwind (1804–1871). Mörike hatte ihn um eine Illustration seines Gedichts »Erinna an Sappho« gebeten. Dies lehnte Schwind wegen der poetischen Dichte gerade dieser Verse ab. Mörikes Prosa aber, die er nun kennenlernte, verlockte ihn vielfach zur zeichnerischen Umsetzung der »malerischen Momente« (Brief vom 13. 9. 1868, Schwind, S. 136), die er in Mörikes Erzählungen zu entdekken wußte. Schwind erkannte, daß Mörikes Prosa ihren Reiz weitgehend nicht aus der Personengestaltung bezieht, sondern aus der Beschreibung von Handlungen und Situationen: d. h. aus dem Fabulieren im Sinne eines losen, aber nicht beziehungslosen Aneinanderreihens von Episoden und anekdotenähnlichen Szenen. Diesem glücklichen Umstand verdankte Mörike die, heute neu aufgelegte, Illustration seiner Erzählungen »Die Historie von der schönen Lau« und »Der Bauer und sein Sohn« sowie einer Reihe weiterer Zeichnungen des »Mörike-Albums«.

Die vermehrte Beachtung seiner Person, die zahlreicher gewordenen Besucher wurden Mörike bald zur Last. Er versuchte dem durch öfteren Orts- und Wohnungswechsel zu entkommen, lebte eine zeitlang in Lorch, zog von dort wieder nach Stuttgart und von hier für eine ebenso kurze Zeit nach Nürtingen. Nach der Trennung von seiner Frau lebte er seine letzten Jahre sehr zurückgezogen mit Klara und seiner jüngeren Tochter Marie in Stuttgart, wo er nur noch mit den ältesten Freunden Umgang pflegte. Am 4. 6. 1875 starb er hier fast mittellos und wurde am 6. 6. 1875 auf dem Stuttgarter Pragfriedhof beigesetzt. Die Grabrede hielt sein Jugendfreund Friedrich Theodor Vischer.

Literatur

Lebensräume und -epochen

Graeter, Carlheinz: M. in Franken. Donauwörth 1975.
Renz, Gotthilf: M. als Pfarrer und der schwäbische Pfarrer vor 100 Jahren. Berlin 1929.
Schick, Friedrich: Zu Cleversulzbach im Unterland. Cleversulzbach 1925.
Weitbrecht, Marie: E. M. Bilder aus seinem Cleversulzbacher Pfarrhaus. Stuttgart 1924.
M. und Friedrich Wilhelm IV. Mit ungedruckten Briefen an den König und dessen Antworten. In: Dt. Rundschau 220 (1929), S. 232–237.

Eggert-Windegg, Walther: E. M. in Schwäbisch Hall und Mergentheim. In: Euphorion 14 (1907), S. 595–611; S. 764–778.

Fischer, Max: M. in Mergentheim. Bad Mergentheim 1929.

Kazmeier, Martin: Ruhesitz erlauchter Gäste. Mit und ohne Nostalgie: Bebenhausen im 19. Jh. In: Tübinger Blätter 61 (1974), S. 33–43.

Rath, Hanns W.: Von E. M's Leben und Sterben. Unveröffentlichte Berichte aus dem Nachlasse Wilhelm Hartlaubs. In: Dt. Rundschau 42 (1915/16), S. 81–97.

Reuter, Hans-Heinrich (Hg.): Die Akte E. M. Veröffentlichungen aus dem Archiv der Dt. Schillerstiftung, H. 3. o. J.

Maier, Gottfried: M's Testament: In: Allgemeine Zeitung 1905. Beilage Nr. 228.

Verzeichnis der Nachrufe auf M. In: Bibliographie der württembergischen Geschichte Bd. 2 (1896) S. 516.

Ehe

Mossemann, Karl: Der Kurfürstliche Hoftrompeter Nikolaus Speeth und seine Nachfahren. Wilhelmine Speeth, geb. Areans aus Schwetzingen, Ahnfrau der Gattin des Dichters E. M. Schwetzingen 1971.

Gedichte und Briefe an seine Braut Margarethe von Speeth. Hg. von Marie *Bauer*. München 1903.

Eggert, Eduard: E. M's Frau. In: Hochland, Jg. 1 (1903/04), Bd. 1, S. 65–74 u. 210–222; Bd. 2, S. 350–355.

Güntter, Otto: M's Werbung um die Hand von Gretchen von Speeth. In: Rechenschaftsbericht des Schwäb. Schillervereins 17 (1912/13), S. 135–138.

Rath, Hanns W.: Gretchen. Eines Dichters Schicksal. Ludwigsburg 1922.

Thorn, Eduard: E. M's Ehetragödie. In: Thorn, Frauen und Dichter. Stuttgart 1933. S. 215–234.

Scheffler, Walter: E. M. und Margarethe Mörike in Schwarzenberg: »Die Gegenwart überfunkelt alles«. Baden Württemberg 24 (1977) H. 1 S. 41–43.

Zeichnungen

M. als Zeichner. Hg. von Otto *Güntter*. Stuttgart, Berlin 1930.

E. M. Zeichnungen. Hg. von Herbert *Meyer*. München 1952.

Haushaltungsbücher

E. M's Haushaltungsbuch aus den Jahren 1843 bis 1847. Hg. von Walther *Eggert-Windegg*. Stuttgart 1907.

E. M's Haushaltungsbuch. Hg. vom Bezirks-Heimatmuseum Mergentheim. Bad Mergentheim 1951².

Altersfreundschaften

Theodor Storm – E. M. Theodor Storm – Margarethe Mörike. Briefwechsel. Mit Storms »Meine Erinnerungen an E. M.«. Hg. von Hildburg u. Werner *Kohlschmidt*. Berlin 1978.

Lange, Karl E.: Eine wiederentdeckte Storm-Handschrift. Notizen zum Mörike-Besuch 1855. In: Schriften der Theodor-Storm-Gesell. 25 (1976), S. 75–77.

Briefwechsel zwischen Theodor Storm und E. M. Hg. von Hanns W. *Rath*. Stuttgart 1919.

Briefwechsel zwischen E. M. und Moritz von Schwind, Hg. von Hanns W. *Rath*. Stuttgart 1918, vermehrte Auflage 1920.

Briefe M's über Schwind. Mitgeteilt von Hermann *Uhde-Bernays*. In: Süddt. Monatshefte 8 (1911/12), S. 49–58.

Moritz von Schwind: Mörike-Album. Hg. von Walther *Eggert-Windegg*. München 1922.

Schliep, Bruno: Schwind und M. Versuch einer Kritik ihrer Freundschaft auf kunstgeschichtlicher Grundlage. Diss. Greifswald 1926.

Ehrungen

Burkhart, Ursula: »Ohne Titel kommen sie in Krähwinkel nicht fort«, Zur Ehrenpromation E. M's In: Attempto (1975), H. 55/56, S. 3–7.

Gaese, Heino: Zu M's Ehrendoktor, samt zwei Briefen M's und einem Friedrich Theodor Vischers. In: Ludwigsburger Geschichtsblätter 20 (1968), S. 105–111.

Grundlagen seines Schaffens

»Ein wahres Muttersöhnchen der Muse« nannte Strauß Mörike in einem Brief vom 29. 10. 1838 an Vischer (Vischer/Strauß, S. 70). Anlaß dazu war Mörikes literarische Unproduktivität gewesen, die ihm seine Freunde vorwarfen. Sie forderten, er solle aus »vorhandenem Material« (Brief Mörikes vom 12. 2. 1838 an Strauß; Lit. Echo, Sp. 594), aus tradierten Stoffen und Geschehnissen der Geschichte Neues Schaffen. Mörike lehnte dies kategorisch ab. Es sei seiner »Natur durchaus entgegen« (ebda.). Er mühte sich aber, die Not in eine Tugend, die Beschränkung in eine erklärte Selbstbeschränkung zu wandeln: die »Tiefe des eigenen Wesens« (Brief Mörikes vom Sommer 1830 an Luise Rau; Seebaß I, S. 237) mußte seiner Ansicht nach fähig sein, mangelnde äußere Anregung aufzufangen und zu einem befriedigenden Ergebnis zu ergänzen. Was Mörike also von seinen Freunden als Uneinsichtigkeit, Sturheit, Faulheit oder Arroganz ausgelegt wurde, war das sich Abfinden mit seinem Leben in realer und poetischer Hinsicht. Die sich hieraus ergebenden Konsequenzen erkannte und akzeptierte er:

»Immer werde ich mich wohl, ich mag vornehmen, was ich will, auf eine Erfindung des Stoffes zurückgewiesen sehen, da vom Vorhandenen selten etwas in meinen Kram taugt und mir bei der willkürlichen Verarbeitung des Historischen von jeher ein diffiziles Gewissen im Wege war, – dummerweise, wie ich gern zugebe.« (Brief vom 21. 5. 1832 an Mährlen; Seebaß I, S. 348)

Mörike hatte mit dieser kontextbezogenen Antwort eigentlich nur Stellung zu einem bestimmten Vorschlag eines Freundes nehmen wollen. Trotzdem findet sich hier – gerade auch wegen des zeitlichen Abstands und der Kenntnis des Gesamtwerks erst im Nachhinein sichtbar – die Grundbedingung ausgesprochen, die Mörikes Arbeit bestimmte. Für die Lyrik verwundert dies niemand, da man in ihr mit weit größerer Schwierigkeit den Dichter als Gestalter, als Verfasser zu bemerken geneigt ist. Der Wert seiner Aussage liegt vielmehr darin, seine Prosa verständlich zu machen. Eine Prosa, in der in fast idealem Mischungsverhältnis beides seinen Teil beiträgt, die eigene Erfindung und ihre bewußt künstlerische Gestaltung. Beides glaubte Mörike am besten in der Gattung Märchen vereinigen zu können. Einen dritten Vorteil, der für Mörike das Märchen vor allen anderen Formen in Bezug auf seine Persönlichkeit und seine spezielle Art poetisch tätig zu werden, geradezu prädestinierte, formulierte er in didaktischer Absicht einem unbekannten jungen Dichter gegenüber:

»Dem Märchen, mein' ich, ist es eigen und ganz wesentlich, bei jedem Schritt aufs Neue zu frappieren und die Einbildungskraft in steter Spannung zu halten.« (Brief vom 4. 11. 1864; Seebaß I, S. 342)

Vier seiner sechs Prosaerzählungen werden gemeinhin zur Gattung Märchen gerechnet. Viermal suchte er seine Leser zu »frappieren« (s. o.) und zu unterhalten. Dazu zeichnet es Mörikes Märchen aus, daß zwar jedes aus der ihnen immanenten Spannung von Realität und Wunderwelt seinen Reiz herleitet, dieser Faktor aber in jedem Fall ganz anders gewichtet und auf eine neue Weise erzähltechnisch bewältigt wird.

Im »Schatz« steht gewollte Indifferenz im Blickpunkt. Für Wunderbares, das im Verlauf der Handlung auftaucht, gibt es entweder eine rationale Erklärung oder zumindest die Andeutung, es sei Gerücht, beziehungsweise erfunden. »Der Bauer und sein Sohn«, in einem Brief vom 9. 2. 1838 an Mährlen als »moralisches Märchen« (Seebaß II, S. 39) betitelt, steht in der Tradition der französischen Contes de Fees, in denen Handlung und Moral nicht unbedingt zur Deckung kommen. »Die Hand der Jezerte« ist eine Märchenlegende. Zauberei wird vergleichsweise nur spärlich erzählungswirksam und wenn, dann ist der Urheber Gott, keine heidnische oder böse Gewalt. »Das Stuttgarter Hutzelmännlein« schließlich, das seltsamerweise immer als Zwitter zwischen Märchen und einer schlicht »heiteren Erzählung in Prosa« (Brief vom 1. 7. 1851 an Mährlen; Fischer/Krauss II, S. 215) bezeichnet wurde, ist das einzig wirkliche Märchen Mörikes: das Wunderbare wird als selbstverständlicher Bestandteil der Handlung akzeptiert. Es trägt sogar über weite Strecken selbst die Handlung und verhilft dem ›Helden‹ zum glücklichen Ende.

Mörikes Arbeiten befanden sich im Übrigen ganz im Einklang mit der zeitgenössischen Tendenz, die strenge epische Geschlossenheit als trivial betrachtete. Einen Gewinn sah man folgerichtig in der zusätzlichen Information, die der Leser aus Aspekten der Nebenhandlung, aus Einlagen und weiteren, eventuell ergänzenden Episoden ziehen könne. Mörikes gesamte Prosa weist daher ein gehobenes Strukturprinzip auf, von dem lediglich »Der Bauer und sein Sohn«, sowie »Die Hand der Jezerte« abweichen. Und dies mit gutem Grund: erstere, weil sie als Auftragsarbeit für den Volkskalender vom Umfang her begrenzt war; letztere, weil Mörike in ihr ein stoffliches Problem (Liebe und Treue) nach dem »Peregrina«-Zyklus nochmals aufarbeiten wollte. Die brieflichen Auseinandersetzungen über Gattungsprobleme, die er mit Vischer führte, zeigen jedenfalls deutlich, daß Mörike trotz aller späterer Kritik nach diesem Prinzip seine Erzählungen ästhetisch überlegt und gewissenhaft aufbaute und nie, wie ihm immer wieder unterstellt wurde, hilfloses Opfer der eigenen Fabulierlust war.

Lag in diesem Gestaltungsprinzip eine quasi äußere Voraussetzung seiner Schaffensweise, so gab es eine andere, die ihren Ursprung im Wesen und im Bildungsgang des Dichters hatten: im von Theodor Storm beobachteten und überlieferten »Drang, sich Alles, auch das Abstracteste gegenständlich auszuprägen« (Storm II, »Meine Erinnerungen an Eduard Mörike«, S. 149) beispielsweise und seinem Pfarrberuf. Seine Ausbildung zum Pfarrer, in der er das Predigtenschreiben als Routinearbeit kennenlernte, dürfte sich insofern auf sein Erzählverfahren ausgewirkt haben, als er erfuhr, wie aus einzelnen Versatzstücken immer wieder eine neue Predigt entstehen konnte. Übertragen auf seine poetische Produktion ließe sich so unter anderem die selbständige Veröffentlichung von Textpartien denken, die ursprünglich in einen größeren Zusammenhang gehörten: »Lucie Gelmeroth«, »Der Schatz« oder auch »Die Historie von der schönen Lau«. Dies steht außerdem auch in Übereinstimmung mit seiner persönlichen Eigenart, irgendwann einmal auf längst gehabte Einfälle und Projekte zurückzugreifen, um schließlich doch noch das eine oder andere auszuführen.

Die größere Form der Erzählung verursachte Mörike dabei im

Gegensatz zur Lyrik zeitlebens Schwierigkeiten. Fast stereotyp taucht in seinen Briefen ein ähnlicher Satz auf, wie: »Gemacht, geschrieben ist die ganze Zeit nichts worden« (Brief vom 28. 8. 1854 an Paul Heyse; Seebaß II, S. 316). Meist begründete er es mit Krankheit oder noch nicht wieder hergestellten Kräften in einer Rekonvaleszenz. Besonders blumig umschrieb er sein Unvermögen, produktiv tätig zu werden, 1847 in einem Brief an Vischer:

> »Was mein Verhältnis zur Poesie betrifft, so ist's für jetzt eigentlich nur die Sehnsucht eines Liebhabers zur Liebsten, der sich diäthalber enthalten muß. Ich darf mich nicht, auch nur auf eine Stunde, mit ganzer Seele an einen Gegenstand hingeben.« (Brief vom 13. 12. 1847; Vischer, S. 139)

Mörike selbst wußte, daß dies eigentlich nur Ausrede war und daß er jemandens bedurfte, der »Liebe genug für [ihn] hätte, um [ihn] nicht einschlafen zu lassen« (Brief vom 7. 12. 1829 an Mährlen; Seebaß I, S. 139). Tatsächlich hatte Mörike das Glück, nicht nur jemanden, sondern sogar eine ganze Anzahl wirklicher Freunde zu haben, die ihn immer wieder aus seiner Lethargie zu reißen versuchten und ihn immer wieder aufs Neue zum Dichten drängten.

Quantitativ nimmt die Lyrik, obwohl er in erster Linie als Lyriker bekannt ist, in seinem insgesamt schmalen Lebenswerk keinen bevorzugten Platz gegenüber seiner Prosa ein. Diesem Sachverhalt wird im folgenden Rechnung getragen durch eine vergleichsweise breite Darstellung seiner Prosa. Denn auch die germanistische Forschung hat sich bislang lieber mit seiner Lyrik auseinandergesetzt, als daß sie sich um monographische Untersuchungen oder Gesamtdarstellungen seiner Prosa bemüht hätte.

Literatur

Darstellungen zur Lyrik und Prosa
Hart-Nibbrig, Christiaan L.: Verlorene Unmittelbarkeit. Zeiterfahrung und Zeitgestaltung bei E. M. Bonn 1973.
Lüssey-Goetz, Ruth: Der Dämonien Ruf. Ein Versuch zu E. M's Dichtung. Aarau 1976.
Oswald, Harriet P.: Die Idee der Reinheit im Werke M's (Diss 1969), Ann Arbor, Michigan (USA), 1975.
Wiesmann, Louis: Symbole und Wandlungen bei E. M. Basel 1979.

Zu Mörikes Lyrik im Allgemeinen
(zu einzelnen Formen oder Gedichten, siehe die jeweiligen Lyrikkapitel)
Barnouw, Dagmar: Entzückte Anschauung. Sprache und Realität in der Lyrik E. M's. München 1971.

Farell, Ralph B.: Aufbauprinzipien in M's Gedichten. In: Farrell, Stoffe, Formen, Strukturen. München 1962. S. 380–397.

Fischli, Albert: Über Klangmittel im Vers-Innern, aufgezeigt an der Lyrik E. M's. Bern 1920.

Heydebrand, Renate von: E. M's Gedichtwerk. Beschreibung und Deutung der Formenvielfalt. Stuttgart 1972.

Kohlschmidt, Werner: Wehmut, Erinnerung, Sehnsucht in M's Gedicht. In: Kohlschmidt, Form und Innerlichkeit. München 1955. S. 233–247.

Kuczynski, Jürgen: Der »Zauber der Beschränkung« und das »holde Bescheiden« E. M's. In: Kuczynski, Gestalten und Werken. Berlin, Weimar 1969. S. 163–183.

Labaye, Pierre: Le symbolisme de M. Etude de la création mörikéenne comme jeu de miroirs. Bern, Frankfurt/M. 1982.

Liesmann, Konrad: Zur Konstruktion des Lyrischen bei E. M. In: Das Pult 15 (1983), Nr. 68, S. 19–28.

Lüders, Detlev: Gedämpfte Welt und holdes Bescheiden. Zur Dichtung E. M's. In: Lüders, Literatur und Geistesgeschichte. Berlin 1968. S. 225–231.

Pillokat, Udo: Verskunstprobleme bei E. M. Hamburg 1969.

Rowley, Brian A.: A long Day's Night. Ambivalent Imagery in M's Lyric Poetry. In: German Life and Letters 29 (1975/76), S. 109–122.

Ders.: The Nature of M's Poetic Evolution. In: Rowley, For Lionel Thomas. Hull 1980. S. 70–79.

Schlaffer, Heinz: Lyrik im Realismus. Studien über Raum und Zeit in den Gedichten M's, der Droste und Liliencrons. Bonn 1966.

Schnabel, Helmut: Die Eigenart der Lyrik M's. Diss. Göttingen 1949.

Sengle, Friedrich: La Terapeutica de M. contra el »Mal del Siglo« y sus Consecuencias para la Poesia. In: Filologia Moderna 1973, Nov.-H., S. 3–28.

Slessarev, Helga: Der »Abgrund der Betrachtung«. Über den schöpferischen Vorgang bei M. In: The German Quarterly 34 (1961), S. 41–49.

Tscherpel, Rudolf M.: Die rhythmisch-melodische Ausdrucksdynamik in der Sprache E. M's Stuttgart 1964.

Zu Mörikes Prosa

(Sekundärliteratur zu einzelnen Werken, soweit vorhanden, siehe die jeweiligen Kapitel zur Prosa)

Brömmel, Johannes: Rhythmus als Stilelement in M's Prosa. Dresden 1941.

Deininger, Mathilde: Untersuchungen zum Prosastil von Wilhelm Hauff, E. M., Annette von Droste-Hülshoff, Franz Grillparzer und Adalbert Stifter: ein Beitrag zur Biedermeierforschung. Diss. Tübingen 1945.

Dramalieff, Kyrill: Stil und Technik in E. M's Erzählungen. Diss. (Masch.). München 1920.

Lenhardt, Gertrud: M's Märchen und Novellen. In: Zeitschrift für deutsche Bildung 10 (1934), S. 354–360.

Jennings, Lee B.: The Grotesque Element in the Post-Romantic German Prose. Diss. Illinois (USA) 1945.

Mayer, Birgit: E. M's Prosaerzählungen. Diss. Frankfurt/M., Bern, New York 1985.

Meyer, Herbert.: E. M. In: Handbuch der deutschen Erzählung, Hg. von Karl K. Polheim. Düsseldorf 1981. S. 206–216.

Schnass, Franz: Erläuterungen zu M's Dichtungen. Paderborn 1911.

Sengle, Friedrich: E. M. In: Sengle, Biedermeierzeit (3 Bde.). Bd. 2, Stuttgart 1972. S. 691–750.

Soll, Gisela: Die Entwicklung der Erzählkunst M's in den Jahren 1833–1855. Diss. Berlin 1942.

Steinmetz, Horst: E. M's Erzählungen. Stuttgart 1969.

Werk

Lyrik bis 1830

Zu Mörikes Zeit wurde der Lyrik ein anderer Stellenwert beigemessen als heute. Sie war einerseits als Gattung fester Bestandteil der zahlreich erscheinenden Zeitschriften, andererseits war sie, was ihre starke, unumstrittene Position vor allem deutlich macht, probates Medium für die verschiedensten (persönlichen) Mitteilungen oder Anliegen innerhalb des gesellschaftlichen Verkehrs. Schülern dieser Zeit war Dichten ähnlich geläufig wie heutigen Schülern das Interpretieren von Lyrik. »Ein Wort der Liebe den besten Ältern von Eduard Mörike an seinem eilften Geburts Tage«, das älteste erhaltene Gedicht Mörikes zeigt dies ebenso wie sein anderes Schulgedicht »Die Liebe zum Vaterlande« (1819).

Handwerkliches Rüstzeug kann gelernt werden, schon beim ganz jungen Mörike ist jedoch die Übereinstimmung von Inhalt und Stil ebenso wie der Wille zum Formen zu erkennen. Von solcher Bewußtheit zeugt »Der junge Dichter« (»Wenn der Schönheit sonst, der Anmut . . .«) von 1823:

> Doch, wenn mir das tief Empfundne
> Nicht alsbald so rein und völlig,
> Wie es in der Seele lebte,
> In des Dichters zweite Seele,
> Den Gesang hinüberspielte,
> Wenn ich nur mit stumpfem Finger
> Ungelenk die Saiten rührte –
> Ach, wie oft wollt' ich verzweifeln,
> Daß ich stets ein Schüler bliebe!
> (2. Strophe; Mc I, S. 18)

Diese Angst war unbegründet. Bereits 1824 entstand in gekonnter, eigenständiger Manier eines seiner heute bekanntesten Gedichte, »Der Feuerreiter« (»Sehet ihr am Fensterlein . . .«). Thematisch ist dieses Gedicht aber in der frühen Periode Mörike'scher Lyrik, die fast ausschließlich Liebes- oder Naturerlebnisse gestaltet, noch ein Sonderfall. Von Graevenitz nimmt daher an, es sei als Mörikes

Korrespondenz zu Waiblingers kurz zuvor entstandenem »Phaeton« (1823) zu denken.

Diese Überlegung wird wahrscheinlich vor dem Hintergrund eines anderen Gedichts, »Erinnerung« (»Jenes war zum letzten Male . . .«), 1822 entstanden. Gemeinhin wird allein auf die Widmung an Klärchen Neuffer, die Jugendliebe Mörikes verwiesen, das Gedicht daher vorwiegend als subjektiv geprägt empfunden. Tatsächlich legt der Briefwechsel, den Mörike in dieser Zeit – wie von Graevenitz zeigt – mit Waiblinger führte, offen, wie Mörike sich dem älteren und bereits arrivierten Waiblinger gegenüber um analogen Ausdruck bemühte. Den vollen Beweis hierfür bringen Jahre später die erste (1838) und zweite (1867) Überarbeitung der frühen Fassung.

Ganz Mörike gehörig ist dagegen »Nächtliche Fahrt« (»Jüngst im Traum ward ich getragen . . .«; 1823). Nacht, Traum und Erinnerung sind zu einer Atmosphäre der Unruhe und Unwirklichkeit verdichtet. In seiner eigenartigen Stimmung nimmt es bereits etwas vom Ausdruck der »Peregrina«-Gedichte vorweg.

Die fünf »Peregrina«-Gedichte haben sich zu einem Zyklus gerundet, der in dieser Form erstmals in »Maler Nolten« veröffentlicht wurde. Sowohl ihre Textgeschichte – Mörike hat an ihnen wie an keiner anderen Arbeit immer aufs Neue nach dem bestmöglichen Ausdruck gesucht – wie auch die Rätsel, die sie einer Interpretation aufgeben, machten und machen sie so interessant.

Die erste Sammlung von vieren dieser Gedichte findet sich im sogenannten »Grünen Heft«, das Mörike seiner Schwägerin zum Dank für die Einladung nach Scheer an der Donau schenkte, wo sein Bruder Karl mit seiner Familie als Amtmann lebte. Zwei, II (»Aufgeschmückt ist der Freudensaal . . .«) und III (»Ein Irrsal kam in die Mondscheingärten . . .«), sind 1824 entstanden, die beiden anderen wahrscheinlich danach. Ein weiteres Gedicht, das fünfte (V), erschien im Februar 1829 in Cottas »Morgenblatt« unter dem Titel »Verzweifelte Liebe« (»Die Liebe, sagt man, steht am Pfahl gebunden . . .«). In der ersten Ausgabe des »Maler Nolten« (1832) erschienen vier der Gedichte – das vierte (»Warum, Geliebte, denk' ich dein . . .«) fehlte – zusammenhängend unter neuen Titeln: »Die Hochzeit« (»Aufgeschmückt ist der Freudensaal . . .«), »Warnung« (»Der Spiegel dieser treuen braunen Augen . . .«), »Scheiden von ihr« (»Ein Irrsal kam in die Mondscheingärten . . .«), »Und wieder« (»Die treuste Liebe steht am Pfahl gebunden . . .«). Den gemeinsamen Obertitel »Peregrina« sollten sie erst beim Abdruck aller fünf Gedichte im ersten Lyrikband von 1838 erhalten. Sie verloren dafür ihre jeweiligen Einzeltitel und wurden stattdessen mit römischen Ziffern ausdrücklich als Teile eines Ganzen ausgewiesen, auch die Reihenfolge der Gedichte wurde dabei umgestellt.

Der Name »Peregrina« (lat. »Die Wandernde«) gibt für Kunisch bereits Inhalt, Bedeutung und Stimmung des Ganzen. Ganz so einfach scheint es sich aber nicht zu verhalten: die große Zahl an Interpretationsversuchen wäre sonst nicht vorhanden. Sie reichen von der zwar richtigen, aber doch allzu simplen und nicht die ganze Komplexität der Gedichte fassenden Erklärung, Thema sei die Sublimierung des Maria Meyer-Erlebnisses. Beck differenziert insofern, daß er Maria Meyer zwar als auslösendes Erlebnis für die Peregrina des Zyklus begreift, die Ausarbeitung in lyrischer Form aber auf zwei Brennpunkte zurückführt: die Absage an Maria, 1824 und im Jahr 1828 die Begegnung mit Josephine, der Tochter des Schullehrers in Scheer. Zudem fand er in Justinus Kerners »Reiseschatten« (1811) eine annähernd ähnliche Situation als die des zweiten Gedichts. Von Graevenitz fügt Becks Fund weitere Beobachtungen hinzu, so eine ähnliche Textstelle in Johann Martin Millers »Siegwart« (1776), vor allem aber die lange Ausprägung des Motivs ›Begegnung in der Kirche‹ bis hin zu Mörikes Gedicht »Josephine« (»Das Hochamt war . . .«; 1828) oder auch Ludwig Bauers »Peregrina«-Gedicht (»Geheimnis. An E. M.«; o. J.). Seine Auffassung verdichtet sich schließlich dahingehend, Peregrina sei »eine literarischen Vorbildern direkt nachgebildete hochgradig ›literarisierte‹ und traditionsgebundene Dichtung« (S. 2). Angesichts solch plausibler Argumentation verliert Gockels These von Peregrina als »Venus libitina«, einer mythologischen Venusgestalt, die Züge einer Liebes- und einer Totengöttin vereint, an Überzeugungskraft. Dennoch ist seine Deutung, Mörike verwende Elemente der Mythologie als Versatzstücke mit Verweisungscharakter, für sich betrachtet nicht ganz ohne Hintergrund. Diese heidnisch-antike Sinnlichkeit ist es doch, die zumindest der »Hand der Jezerte« zugrunde liegt, der Erzählung, die wie keine andere auf Unverständnis seitens Rezeption und Forschung stieß.

Für Mörike selbst war – vor allem, wenn man andere Gedichte der Frühzeit hinzuzieht, wie »Nächtliche Fahrt« oder »Die Hütte am Berg« (»Was ich lieb' und was ich bitte . . .«; 1822) – Peregrina nicht nur die Wandernde, sondern das »Irrsal«, die Bedrohung und Verirrung der Liebe, die gleichzeitig durch die lyrische Gestaltung aufgehoben wurde. Vollends kompensieren konnte er sie durch den Tagtraum, das Ausweichen und Verweilen in der heilen, von aller Erdenschwere losgelösten Welt Orplids. Mörike hatte sich diesen faszinierenden Mythos einer erdachten Insel mit Bäumen und Bergen, auf der Menschen und Feenwesen zusammenleben, 1825 hauptsächlich mit seinem Freund Ludwig Bauer erfunden.

Solches Einssein mit der Natur zeigt sich in den frühen Naturgedichten »Im Freien« (»An euch noch glaub' ich . . .«), »Nachts« (»Horch! Auf der Erde feuchtem Grund gelegen . . .«), am deutlichsten aber wird es 1825 im Gedicht »An einem Wintermorgen vor Sonnenaufgang« (»O flaumenleichte Zeit der dunkeln Frühe . . .«). Letzteres sei zugleich, so Beck (2), ein »Genesungsgedicht« (S. 276): »Der momentane Vorgang des Erwachens aus Schlaf und Nacht ist von vornherein zeichenhaft: in ihn drängt sich ein Vorgang innerer Gesundung aus langwieriger ›Krankheit‹ hinein (ebda.), wobei ›Krankheit‹ für die Absage an Peregrina steht«. Den vollen Sinngehalt des Gedichts macht dies allein jedoch nicht aus. Hermann Kurz (1813–1873) schlug später vor, es an den Anfang der gedruckten Ausgabe Mörike'scher Gedichte (1838) zu stellen. »Dieser Einfall fürwahr ist ein ganzes Gedicht«, urteilte Mörike (Brief vom 7. 11. 1837; Fischer/Krauss I, S. 271). Kurz hatte richtig erkannt, wieviel an spezifisch Mörike'scher Poesie sich insgesamt darin offenbarte, wieviel davon allein die dritte Strophe preisgab:

> Bei hellen Augen glaub' ich doch zu schwanken;
> Ich schließe sie, daß nicht der Traum entweiche.
> Seh' ich hinab in lichte Feenreiche?
> Wer hat den bunten Schwarm von Bildern und Gedanken
> Zur Pforte meines Herzens hergeladen,
> Die glänzend sich in diesem Busen baden,
> Goldfarb'gen Fischlein gleich im Gartenteiche?

Für Motekat ist das Gedicht daher auch »das Ergebnis der Inspiration, in dem für neue, erst zu schaffende Werke Anstoß und Ursprung liegen« (S. 71). Diese Anschauung ist sicher richtig, aber immer noch nicht umfassend genug. Tatsächlich wird man es, wie Schwarz, als die ganze Mörike'sche Kunst- und Seelendarbietung sehen können, »denn alles, was Mörike je geschrieben hat, quillt aus diesem Gefäß« (S. 10).

Den frühesten Gedichten Mörikes gemeinsam ist ein unwirkliches, unruhiges Traumdasein, das doch immer wieder aufgehoben wird durch die Sicherheit des vollen Tags und durch einen Glauben, in dem sich Frömmigkeit mit einem nicht geringen Anteil Pantheismus mischt.

An der Grenze zwischen den frühesten und den nachfolgenden frühen Gedichten steht »Besuch in Urach« (»Nur fast so wie im Traum ist mir's geschehen . . .«). Dieses Gedicht, 1827 entstanden und einem Brief vom 25. 5. 1827 an Hartlaub beigelegt, geht auf einen Besuch Mörikes zurück, den er bereits 1825 während seines Theologiestudiums Urach, dem Ort seiner Seminarzeit, abstattete. Es ist ein Erlebnisbericht über den Versuch, die vergangene Stimmung, das damalige sich Einsfühlen mit der Natur zu wiederholen. Dieser Versuch mißlang jedoch, das Verhältnis des Dichters zur Natur war zwischenzeitlich – auch durch das Peregrina-Erlebnis – ein anderes geworden. Eine gegenseitige Durchdringung, ein glückliches Ineinanderaufgehen war nicht mehr möglich. Wie Mörike Natur in dieser Zeit erlebte, läßt sie den Menschen kurzzeitig Trost und Vergessen finden, stößt ihn dann aber in seinen Lebensraum zurück. Die lyrische Welt korrespondierte so mit Mörikes seelischer Verfassung: erst der in und mit sich zufriedene Mensch aus der Zeit nach 1828 fand ähnlich beglückende Naturerlebnisse wie der frühe.

Einschneidende Veränderungen in den persönlichen Lebensumständen waren dafür maßgeblich: 1828 hatte Mörike sich entschlossen, in den Vikardienst, und damit in den Schoß der Kirche zurückzukehren. Er hoffte nun, daß er so noch am ehesten die ihm gemäß erscheinende Existenz verwirklichen könnte. 1829 hatte er außerdem Luise Rau kennen und lieben gelernt, glaubte an eine dauernde Beziehung. Diese Ereignisse hatten ihn ruhiger und zufriedener gemacht. Ausdruck dessen wurde seine Lyrik. Die Naturgedichte »Im Frühling« (»Hier lieg' ich auf dem Frühlingshügel . . .«) und »Er ist's« (»Frühling läßt sein blaues Band . . .«) zeigten dies bereits, ganz deutlich wird es an den Liebesgedichten. Die Bedrohung durch die Liebe, die sich formal auch in den freien Rhythmen zweier seiner »Peregrina«-Gedichte zeigte, ist in den Luise gewidmeten aufgehoben. Für die meisten wählte Mörike den strengen Aufbau eines Sonetts. Dies andere Extrem des Aufbaus korrespondiert mit dem Inhalt. Alle drei »An Luise« (alle um 1830) verklären die Frau zur fast unerreichbaren Heiligen. Beispielhaft zum Ausdruck bringt dies die erste Strophe des Gedichts »An die Geliebte«, das ebenfalls 1830 entstand:

> Wenn ich, von deinem Anschaun tief gestillt,
> Mich stumm an deinem heil'gen Wert vergnüge,
> Dann hör' ich recht die leisen Atemzüge
> des Engels, welcher sich in die verhüllt [. . .]
> (Mc I, S. 122)

Mit der inneren Ruhe kam Mörike außerdem los vom subjektiven Initial, das bisher seine Dichtung auslöste und versuchte sich darin, Lyrik im Volksliedcharakter zu verfassen. Das lyrische Ich seiner Gedichte ist nur so wenig noch mit Mörike selbst identisch, daß Rollengedichte wie »Der Jäger« (»Drei Tage fort und fort . . .«; 1828) oder gar »Das verlassene Mägdlein« (»Früh, wann die Hähne krähn . . .«; 1828) zustandekommen konnten. Letzteres vor allem ist ein gutes Beispiel für den hohen Grad an künstlerischer Gestaltungskraft, die Mörike bereits erreicht hat. Der Volkston, die archaisierenden Elemente sollen das Schicksal des Mädchens als allgemeines und zeitloses darstellen. Die Art und Weise aber, wie Mörike unauffällig kunstvoll die Strophen in sich aufbaut und aneinanderreiht, ohne sein lyrisches Ich, das Mädchen, als Sprechende unglaubhaft zu machen, darin liegt der eigentliche Wert dieser Dichtung. In diese Zeit des Ausprobierens verschiedener lyrischer Formen fallen auch seine ersten Balladen: »Die traurige Krönung« (»Es war ein König Milesint . . .«) und »Die schlimme Greth und der Königssohn« (»Gott grüß' dich, schöner Müllerin . . .«), beide von 1828.

Werner Zemp hat im Prinzip recht, wenn er in Mörikes Anfängen zugleich die ganzen Elemente seines Werks angelegt sieht. Unrecht tat er Mörike allerdings mit der Ausschließlichkeit seiner Formulierung. Fast alle Werke Mörikes, ob Lyrik oder Prosa, gehen auf seine Frühzeit als Dichter zurück. Allerdings entwickelte er sie und sich. Schon sein »Maler Nolten« zeigt dies, denn erst der Mörike nach 1830 konnte daran denken, den Roman zu schreiben. Auch die in den Roman integrierte frühe Lyrik hat sich in dieser neuen Umgebung verändert. Gerade dies bestätigte Cingolani in der Annahme, die spannungsgeladene Beziehung zwischen Dichtung und Leben, die die Frühzeit Mörikes verrät, sei trotz ihrer Schmerzhaftigkeit eine zutiefst produktive gewesen, eben weil sie in der Dichtung selbst ausgetragen wurde.

Literatur

Zur frühen Lyrik im Allgemeinen

Allenspach, Gabriele: Das Formproblem der Peripetie in M's frühen Gedichten. Eine Reihe von Interpretationen. Diss. Zürich 1984.

Cingolani, Charles L.: E. M. Wirklichkeit und Dichtung. Zürich 1973.

Heilmann, Daniel Fr.: M's Lyrik und das Volkslied. Berlin 1913.

Heydebrand, Renate von: Zur Anordnung der Gedichtsammlung M's. Welchen Anteil hatte Hermann Kurz wirklich? In: Jb. der Dt. Schillergesell. 17 (1973), S. 384–394.

Jakob, Kurt: Aufbau und innere Gestaltung der Balladen und anderer Gedichte M's. Diss. Frankfurt/M. 1934.

Ders.: M's Balladen. In: Zeitschrift für Deutschkunde 50 (1936), S. 98–105.

Werner, Hans-G.: Zu frühen Gedichten M's. In: Weimarer Beiträge 10 (1964), S. 577–598.

Zemp, Werner: M's Elemente und Anfänge. Frauenfeld, Leipzig 1939.

Zu einzelnen Gedichten

»Der junge Dichter«: *Wesle*, Carl. In: Festschrift für Albert Leitzmann. Jena 1937. S. 104–124.

»Der Feuerreiter«: *Mundhenk*, Alfred. In:.Wirkendes Wort, Sammelband 4 (1962), S. 267–272; *Pohl*, Rainer. In: Zeitschrift für Deutsche Philologie 85 (1966), S. 223–240); *Zemp*, Werner. In: Zemp, Elemente und Anfänge. Frauenfeld, Leipzig 1939, S. 82–114.

»Peregrina«: *Beck*, Adolf. In: Euphorion 47 (1953), S. 194–217; *ders.* In: Beck, Forschung und Deutung. Frankfurt/M. 1966. S. 311–345; *Emmel*, Hildegard: M's Peregrina – Dichtung und ihre Beziehung zum Nolten-Roman. Weimar 1952; *Etter*, Hans J.: E. M's Peregrina-Dichtung. Diss. Zürich 1985; *Gockel*, Heinz. In: Wirkendes Wort 24 (1974), S. 46–56; *Graevenitz*, Gerhard von: Die Kunst der Sünde. Zur Geschichte des literarischen Individuums. Tübingen 1978; *Maync*, Harry: In: Westermanns Illustrierte Deutsche Monatshefte 91 (1901), S. 40–57; *Kunisch*, Hermann. In: Kunisch, Kleine Schriften. Berlin 1968. S. 339–355; *Oppel*, Horst: Peregrina. Vom Wesen des Dichterischen. Mainz 1947; *Schwarz*, Georg: Der Ring der Peregrina. München 1947.

»An einem Wintermorgen vor Sonnenaufgang«: *Beck*, Adolf. In: Euphorion 46 (1952), S. 370–393; *Motekat*, Helmut. In: Blätter für den DU, 2. Jg. 1958, S. 70–78; *Müller*, Joachim. In: DVjS 25 (1951), S. 82–93; *Schwarz*, Georg. In: Baden-Württemberg 9 (1960), H. 12, S. 17.

»Besuch in Urach«: *Germann*, Franz: M's »Besuch in Urach.« Eine Interpretation. Bern 1966; *Graf*, Günter. In: Wirkendes Wort 19 (1969), S. 428–429.

»Er ist's«: *Goldberg*, Irmgard. In: DU 32 (1979), S. 109–115.

»An die Geliebte«: *Weber*, Werner. In: Weber, Zeit ohne Zeit. Aufsätze zur Literatur. Zürich 1959. S. 172–176.

»Das verlassene Mägdlein«: *Naumann*, Walter. In: Naumann, Traum und Tradition in der deutschen Lyrik. Stuttgart, Berlin, Köln, Mainz 1966. S. 54–63; *Schneider*, Wilhelm. In: Schneider, Liebe zum deutschen Gedicht. Freiburg 1954². S. 266–270; *Staiger*, Emil. In: Staiger, Die Kunst der Interpretation. Zürich 1957². S. 205–214.

»Die traurige Krönung«: *May*, Joachim. In: Wege zum Gedicht. Hg. von Rupert Hirschenauer und Albrecht Weber. Bd. 2. München, Zürich 1963. S. 278–288; *Schmidt*, Kurt O. In: Muttersprache (1951), S. 321–325.

»Die schlimme Greth und der Königssohn«: *Woodtli-Löffler*, Susi. In: Trivium 3 (1945), S. 198–217.

Der Roman »Maler Nolten«

»Maler Nolten« ist Mörikes einziger Roman und zugleich seine erste gedruckte Prosa:

Nolten, ein junger Maler wird über Wispel, seinen früheren Diener mit dem arrivierten Maler Tillsen bekannt und in seiner Karriere gefördert. Durch Tillsen findet Nolten Zugang in die Gesellschaft des Grafen Zarlin, in dessen Schwester Konstanze Nolten sich verliebt, nachdem er sich durch die – angebliche – Untreue seiner Verlobten Agnes getäuscht fühlt. Von diesem Zeitpunkt an nimmt das Schicksal seinen Lauf. Das Verhältnis zu Agnes war durch eine erste Intrige des Zigeunermädchens Elisabeth hintertrieben, aber von seinem Freund, dem Schauspieler Larkens, in einer Gegenintrige – scheinbar – im Namen Noltens aufrecht erhalten worden. Als Konstanze sich nach Aufdeckung dieser Sachverhalte von Nolten abwendet, ist der negative Höhepunkt des Romans erreicht. Lyrik, das Schattenspiel und idyllische Retardationen bilden einen schwankenden Gegenpol zum Bedrohlichen, können es jedoch nicht aufhalten. Im weiteren Verlauf der Handlung verstricken sich alle Personen immer mehr in geheimnisvoll-tragischen, wechselseitigen Abhängigkeiten, die am Ende keiner von ihnen überlebt.

Die zeitgenössische Rezeption sah im Romanerstling Mörikes einen vielversprechenden, wenn auch gewisse Schwächen aufweisenden Anfang. Heute gilt er in germanistischen Fachkreisen als zu Unrecht vergessen. Einmal, weil er den Bildungsroman quasi pervertiert als Entwicklung zum Tode; zum anderen durch den literarhistorisch interessanten Standpunkt des Werks: seine Wurzeln reichen zurück in die Spätromantik, speziell zu E. T. A. Hoffmann, seine Erzählweise weist voraus auf die Erzählkunst des Realismus.

Mörike, der E. T. A. Hoffmann (1776–1822) zeitlebens bewunderte und in zahlreichen, vor allem frühen Briefen wiederholt von der überaus starken Wirkung berichtete, die dessen Werk auf ihn gemacht hatte, gelangte mit seinem Roman vielleicht mehr in die Nähe des bewunderten Vorbilds, als er es beabsichtigte und wünschte. Thema beider Dichter sind die »Nachtseiten« der menschlichen Existenz, die allseitigen Verflechtungen aller untereinander und mit einem – bedrohlichen – Schicksal. Bekenntnisse führen nie zu einer Bewältigung alter, sondern nur zu immer neuen Gefährdungen, aus denen bei Mörike ein Entkommen nur noch im Tod möglich ist. Trotzdem versuchte Mörike schon in der ersten Fassung die Handlungen seiner Romanfiguren psychologisch zu begründen. Eine Tendenz, die er in der Überarbeitung des ersten

Teils seines Romans noch stringender zugrunde legte und damit bereits vorhandene Züge realistischen Erzählens verdeutlichte.

1832 wurde Mörikes »Maler Nolten« (1. Fassung) veröffentlicht und zwar nicht als Roman, sondern wie es im Titel ausdrücklich hieß, als »Novelle in zwei Teilen«. Seinen wesentlichen Beweggrund für die bewußt gewählte Gattung hatte Mörike Mährlen gegenüber wie folgt formuliert:

»Ich möchte das Ding nur so gelegentlich in die Welt schlüpfen lassen ohne alle Prätensionen als erstes Debut. In der leichtfertigen Allmanachsgestalt wird es weniger geeignet sein, ein Vorurteil, einen Maßstab für künftige Versuche, für mein Talent überhaupt abzugeben. Man tut immer gut, anfangs leise und quasi versteckt aufzutreten. Diese Novelle, in ihrer Gattung betrachtet, gehört wohl nicht unter die übeln Arbeiten, aber Alles ist nur an seinem Platze gut.« (Brief vom 27. 9. 1930; Seebaß I, S. 244)

Was er zunächst vage als »Ding«, dann – scheinbar konkret – als »Novelle« bezeichnete, ist nach heutigen Kriterien ein Roman. In der literarischen Epoche, der der »Nolten« zugeordnet wird, dem »Biedermeier«, bedeutete Novelle zu allererst Prosa im Unterschied zur Lyrik. So ist sie selbst noch im »Jahrbuch schwäbischer Dichter und Novellisten« von 1835 verstanden, einem Taschenbuch, für das Mörike als Mitherausgeber zeichnete. Das Biedermeier kannte noch nicht die heutige strikte Trennung in Gattungen. Trotzdem wurden gewisse Ansprüche gestellt, die Mörike mit seiner Prosa für die Novelle zunächst zu erfüllen glaubte. Die Novelle sollte relativ kurz sein, gerade weil sie für das Taschenbuch gedacht war, das damals, im Gegensatz zum heutigen Wortgebrauch als bunte Sammlung verschiedenster Beiträge, lyrische und erzählende verstanden wurde. Außerdem sollte die Handlung Schlag auf Schlag erfolgen, das heißt nicht durch seitenlange Reflektionen unterbrochen werden, wie im Prototyp des zeitgenössischen Romans, Goethes 1821 erstmals, 1829 in erweiterter Form erschienenen »Wanderjahren«. Keine dieser Bedingungen erfüllte Mörikes »Maler Nolten«. Zwar hatte er seine Reflexionen, dem Anspruch der Novelle gemäß, seinen Romanfiguren in den Mund gelegt, trotzdem hatte sich seine Prosa zu einem komplexen Werk mit komplizierter Struktur entwickelt, die zudem noch untergliedert wurde durch Einschübe in Form von Gedichten, Briefen, essayartigen Rückbezügen und einem Kurzdrama, dem »phantasmagorischen Zwischenstück ›Der letzte König von Orplid‹«. Deshalb wurde sie selbständig, sogar in zwei Bänden, veröffentlicht, was Mörike schließlich in einem Brief vom 2. 4. 1831 an Vischer einsah:

»Mein kleiner Roman hat sich besser gemacht, als ich selbst gedacht hatte.

Ich habe jetzt den Mut, ihn abgesondert von allem andern drucken zu lassen, und bin dazu hauptsächlich notgedrungen, denn zuverlässig ist er zu voluminös für eine Taschenbuchs-Ingredienz.« (Vischer, S. 37)

So blieb vom ursprünglichen Anspruch letztlich nur der Titel, an dem Mörike aus den Mährlen gegenüber genannten Gründen (s. o.) nach wie vor festhielt.

Die lyrischen Einlagen, deren Art und Bedeutung ausführlich und gut von Hildegard Emmel dargestellt wurden, spielen für den Roman eine große Rolle. Ursprung und zugleich (geheimer) Höhepunkt des Romans ist der »Peregrina«-Zyklus. Allerdings nicht so, wie ihn Prawer verstanden wissen wollte, als »Rache« für Goethes Mignon: Wilhelm Meister habe zu leicht die Begegnung mit und die Beziehung zu Mignon abgetan; im Roman Mörikes ziehe sie als Peregrina-Elisabeth stattdessen den Helden in Bann und schließlich in den Tod. Was Mörike tatsächlich wollte, ist schlicht die Veröffentlichung des Zyklus. Er hatte in ihm eigene Erlebnisse sublimiert, die er – nicht minder poetisch verklärt – dem gesamten Roman zugrunde legte. Zum Höhepunkt der Romanhandlung wird der Zyklus, weil er es ist, der die Katastrophe endgültig auslöst.

Von selten erkannter Bedeutung ist der zweite Zyklus mit den »Jung Volker«-Gedichten. Samt den um ihn her konstruierten Episoden dient er als Peripetie, als die scheinbare Wendung zum Guten, die im Drama der Katastrophe vorausgeht.

Die ungewöhnlich enge Beziehung zwischen Lyrik und Prosa innerhalb dieses Romans täuscht die Konzeption der Gedichte als Folge des Erzählvorhabens vor. Tatsächlich sind sie jedoch unabhängig davon entstanden. Ihre Nähe zum Roman, ihre gelungene Integration rührt allein daher, daß Lyrik und Prosa *einer* Epoche im Leben des Dichters entstammen: der Roman faßt zusammen, was sich an einzelnen Erfahrungen in der bisher entstandenen Lyrik niedergeschlagen hatte. Die Überführung einzelner Gedanken und Erfahrungen in künstlerisch sublimierte Lyrik und von dort in die scheinbare Realität der von Mörike erfundenen Romanfiguren ließ diese überaus dichte Atmosphäre entstehen, die aber mit der Person des Dichters selbst nichts zu tun hat.

Mit dem »phantasmagorischen Zwischenstück« – »Der letzte König von Orplid« – verhält es sich nicht anders. Basierend auf Mörikes privatem Umgang mit seinem Freund Ludwig Bauer, beziehungsweise ihrem gemeinsam erdachten Mythos um die – ebenfalls erfundene – Insel Orplid, war das Schattenspiel ursprünglich nur persönliche Gabe für den Freund. Fünf Jahre später forderte es

Mörike für eine möglicherweise partielle Verwendung im »Nolten«
zurück, übernahm es aber schließlich ganz, weil es ihm ein plausib-
les Motiv für die Verhaftung der beiden Künstler abzugeben
schien, von der aus die katastrophale Verstrickung seiner Figuren
vollends ihren Lauf nimmt.

Vor diesem Hintergrund einer in sich geschlossenen Welt aus
fiktiven und realen Zügen verwundert die besonders für Mörike geradezu extrem kurze Entstehungszeit weniger. Erste Vorstellungen
über einen möglichen Roman reichen zwar in den Sommer 1828
zurück, wurden aber nicht weiter verfolgt. Trotzdem entstand im
Jahr 1830, innerhalb weniger Monate, die gesamte Niederschrift.
Mörike durfte also viel für eine etwaige literarische Zukunft erwarten. Mit zunehmendem Selbstbewußtsein äußerte er sich daher
auch über sein »kleines Opus«, das er dem Schweizerbart-Verlag
»um einen Spottpreis von 150 Gulden« (Brief vom 8. 9. 1831 an Vischer; Vischer, S. 43f.) gegeben habe.

1854 sollte der inzwischen vergriffene Roman neu aufgelegt werden. Doch dazu kam es nicht, weil Mörike inzwischen eine umfassende Überarbeitung für nötig erachtete. Diese zog sich für den ersten Teil – hauptsächlich, weil dazwischen jahrelange Pausen traten
– bis 1873/74 hin. Dafür konnten in ihr Brüche innerhalb der
Handlung bereinigt und diese insgesamt stringenter motiviert werden. Manches, was Mörike aus seiner Sicht zu Unrecht durch Kritiker bemängelt sah, blieb nach wie vor erhalten: die Tatsache einer
»Künstlernovelle« ohne theoretische Ausführungen über Kunst,
die nur angedeutete »tiefere Idee« und besonders ein »Zuviel« an
Episoden und Charakteren. Zu einer druckfertigen Fassung des
zweiten Teils gelangte Mörike in seinem letzten Lebensjahr, 1875,
nicht mehr.

Fortgesetzte Kritik erfährt Mörike gerade hinsichtlich des letzten
der obengenannten Punkte bis heute. Noch Rudolf Völk trennte
anmaßend in Nötiges und Überflüssiges, ehe er zum Schluß kam,
daß Aufbau und Form manches zu wünschen übrig lasse. Nur
Wolfgang Taraba hielt Mörikes Einschiebungen insofern für positiv, als sie Vergangenheit und Gegenwart wechselseitig bezögen
und die Eindimensionalität der Zeit somit aufgehoben würde.

Mörikes Neufassung des »Nolten« wurde 1878 posthum von Julius Klaiber herausgegeben. Wo und wie sie sich konkret von der
ersten unterscheidet, darüber gibt Drawert die beste Übersicht.
Seine Untersuchung bezieht sich allerdings ausschließlich auf den
ersten Teil, den Mörike selbst für abgeschlossen erklärt hatte. Auf-
schlüsse über den Gang der Überarbeitung und Einzelheiten über

die von Mörike benutzten Skripte erhält man durch Herbert Meyer. Anhand dieser Skripte wies Meyer nach, wie eigenmächtig Klaiber mit den ihm anvertrauten Unterlagen umgegangen war: an diversen Stellen hatte Klaiber Mörike mit einem seiner Ansicht nach gehobeneren Ausdruck korrigiert, so zum Beispiel Frauen zu Damen. Inzwischen kann jedoch dem wissenschaftlichen Umgang mit Mörikes Roman die Marbacher historisch-kritische Ausgabe zugrunde gelegt werden, die ihm, von Meyer herausgegeben, mit Lesarten und Erläuterungen insgesamt drei Bände widmet.

Trotz solcher Voraussetzung kamen bislang keine Untersuchungen zustande, die diese Grundlagen zu erneuter und intensiver Auseinandersetzung mit dem Roman benutzt hätten. Die einzigen neueren Veröffentlichungen berühren ihn letzlich nur in Teilen: Adams glaubt in »Orplid« als »Ur-Erlebnis« des Dichters den Schlüssel zu seiner Mythologie zu erkennen, während Beatrice Funk-Schoellkopf, in ihrem rein tiefenpsychologischen Ansatz, dies negiert. Sie schloß aus, daß Mörike dies alles bewußt gedacht habe. Alle Bilder und Geschehnisse seien nichts als schöpferische Eingebungen und unmittelbarere Ausdruck seiner Einbildungskraft, wovon er gleichsam überfallen worden sei. Damit hat sie recht und unrecht zugleich. Recht für die Entstehung von Orplid, wie sie in einem Brief Bauers vom 27. 6. 1826 an Mörike nachzulesen ist. Unrecht insofern, als Mörike mit der einmal entstandenen Schöpfung allerdings im folgenden sehr bewußt umgegangen ist. Ganz etwas anderem galt Roland Tscherpels Interesse. Er untersuchte das »Komische« des »Nolten«. Die »Grenzgänger« der schönen Künste, das Komisch-Phantastische, das Satirische und das Grotesk-Häßliche – in den Figuren Nolten, Larkens und Wispel – werden dabei in ihrer Bedeutung für die dem »Nolten« immanente Poetik gezeigt. Eine literaturwissenschaftliche Interpretation des gesamten Romans, die sich die günstige Materiallage zunutze machte, um ihn als Werk im Ganzen zu untersuchen und zu würdigen, steht aber weiterhin aus.

Literatur

Ausgaben
Erstdruck: »Maler Nolten. Novelle in zwei Teilen«. Mit einer Musikbeilage. Stuttgart 1832.
»Maler Nolten. Roman«. Zweite, überarbeitete Auflage hg. von Julius *Klaiber*. (2 Bde.) Stuttgart 1878 (1897 in fünfter Auflage).

Nachdrucke u. a.:
»Maler Nolten. Novelle in zwei Teilen«. Erste Fassung. Mit zeitgenössischen Illustrationen und einem Nachwort von Wolfgang *Vogelmann*. Frankfurt/M. 1979.
Beide Fassungen in: E. M. Sämtliche Werke in zwei abgeschlossenen Bänden. Hg. von Gerhart *Baumann*. Stuttgart 1954.

Zeitgenössische Rezensionen

Wolfgang *Menzel*. Im: Morgenblatt für gebildete Stände, Literaturblatt, Nr. 86, 24. 8. 1832.
Johannes *Mährlen*. In: Der Hochwächter, Nr. 301/302, 20./21. 12. 1832.
Gustav *Schwab*. In: Blätter für literarische Unterhaltung, Nr. 20/21, 20./21. 1. 1833.
[Verfasser unbekannt]. In: Gubitz' Gesellschafter, 23. 3. 1833.
Friedrich *Notter*. In: Der Unparteiische, Ein encyclopädisches Zeitblatt für Deutschland, Jg. 1, Nr. 2–4, 2. – 4. 4. 1833.
Friedrich Th. *Vischer*. In: Hallische Jahrbücher für dt. Wissenschaft und Kunst, Jg. 2, Nr. 144–147, 1839; auch in: Vischer, Kritische Gesänge, Bd. 1. Stuttgart 1844. S. 28ff.

Sekundärliteratur zum »Nolten«

Bachert, Ruth: M's »Maler Nolten«. Leipzig 1828.
Eilert, Heide: E. M's: »Malter Nolten«, 1832. In: Eilert, Romane und Erzählungen zwischen Romantik und Realismus. Stuttgart 1983. S. 165–182.
Emmel, Hildegard: Die lyrischen Einlagen im »Maler Nolten«. In: Emmel, Kritische Intelligenz als Methode. Bern 1981. S. 89–108.
Hewett-Thayer, Harvey W.: Traditional Technique in M's »Maler Nolten«. In: The Germanic Review 32 (1957), S. 259–266.
Immerwahr, Raymond: The Loves of Maler Nolten. In: Rice University Studies, vol. 57, Nr. 4 (1971), S. 73–87.
Kolbe, Jürgen: Tragik und Bindung: E. M's Roman »Maler Nolten«. In: Kolbe, Goethes »Wahlverwandtschaften« und der Roman des 19. Jahrhunderts. Stuttgart 1968. S. 56–85.
Maier, Wolfgang: Ein Einzelfall? Anfang und Struktur im »Maler Nolten«. In: Maier, Romananfänge. Berlin 1965. S. 149–172.
Meyer, Herbert: M's Legende vom Alexisbrunnen. In: DVjS 26 (1952), S. 225–236.
Meyer, Hermann: Der Sonderling als Markstein der Auseinandersetzung mit dem romantischen Subjektivismus in der Literatur des Biedermeiers. In: Meyer, Der Sonderling in der dt. Dichtung. München 1963. S. 144–189.
Rosenthal, Trude: Le rôle du monde exterieur dans le deux principeaux récits en prose de M. Maler Nolten, Mozart auf der Reise nach Prag. Diss. Paris 1935.
Prawer, Siegbert S.: Mignons Genugtuung. Eine Studie über M's »Maler Nolten«. In: Prawer, Interpretationen. Bd. 3. Frankfurt/M 1966. S. 164–181.

Reinhardt, Heinrich: M. und sein Roman »Maler Nolten«. Zürich, Leipzig 1930.

Sammons, Jeffrey L.: Fate and psychology: Another look at M's Maler Nolten. In: Sammons, Lebendige Form. München 1970. S. 211–227.

Seuffert, Bernhard: M's »Maler Nolten« und »Mozart«. Graz, Wien, Leipzig 1924.

Schöne, Albrecht: Interpretationen zur dichterischen Gestaltung des Wahnsinns in der deutschen Literatur. Diss. Münster 1951.

Steiner, Jakob: Kunst und Zeit in M's Maler Nolten. In: Steiner, Geschichte, Deutung, Kritik. Bern 1969. S. 186–198.

Storz, Gerhard: »Maler Nolten«. In: Zeitschrift für dt. Philologie 85 (1966) S. 161–209.

Taraba, Wolfgang Fr.: Die Rolle der »Zeit« und des »Schicksals« in E. M's »Maler Nolten«. In: Euphorion 50 (1956), S. 405–427.

Tscherpel, Roland: M's lemurische Possen. Die Grenzgänger der schönen Künste und ihre Bedeutung für eine dem »Maler Nolten« immanente Poetik. Diss. Königstein/Ts. 1985.

Völk, Rudolf: Die Kunstform des »Maler Nolten« von E. M. Berlin 1930 (Neudruck 1967).

Weischedel, Wilhelm: M's Maler Nolten. In: Der Deutschunterricht 11 (1959) S. 50–62.

Zu »Orplid«

Adams, Jeffrey T.: E. M's ›orplid‹. Myth and the Poetic Mind. Hildesheim, Zürich, New York 1984.

Depinyi, Albert: Orplid. o. O. 1910.

Funk-Schöllkopf, Beatrice: E. M's »Der letzte König von Orplid«. Diss. Zürich 1980.

Rath, Hanns W.: Orplid, das Geheimnis einer Welt und eine Weissagung. Ludwigsburg 1925.

Zemp, Werner: Orplid. In: Zemp, Das lyrische Werk, Aufsätze, Briefe. Zürich 1967. S. 187–192.

Zink, Georg: E. M's Spiel »Der letzte König von Orplid«. In: Der Kaktus Heidelbergensis 1 (1925), S. 223–228.

Zur Umgestaltung des »Nolten«

Bronner, Luise H.: M's »Maler Nolten«. Die wesentlichen Unterschiede der beiden Fassungen. Diss. Amhurst, Massachussets (USA) 1968.

Drawert, Ernst A.: M's »Maler Nolten« in seiner ersten und zweiten Fassung. Halle/S 1935.

Meyer, Herbert: Stufen der Umgestaltung des »Maler Nolten«. In: Zeitschrift für dt. Philologie 85 (1966), S. 209–223.

Das zweite Romanprojekt

Nach der überwiegend positiven Aufnahme des »Maler Nolten« blieb die Prosa für Mörike zunächst gegenüber seiner Lyrik vorrangig. Er begann sich daher noch 1832 mit dem Gedanken zu einer neuen, jedoch weniger umfangreichen Erzählung zu tragen:

»Vorderhand hat sich sonder Wollen und Suchen, eine neue poetische Erzählung in mir angezettelt, die als kleiner Zwischenläufer, wenn ich die Lust dazu behalten sollte [. . .] vielleicht die Ausführung verdiente.« (Brief vom 5. 6. 1832 an Mährlen; Seebaß I, S. 329)

Sie sollte bewußt kurz gehalten werden, nicht zuletzt deshalb, weil sie seit Anfang 1833 Brockhaus als Beitrag für sein Taschenbuch »Urania« versprochen war. Mörike war daher wenig glücklich mit dem Gefühl, das Thema seiner neuen Arbeit verlange einen anderen Rahmen, könne nur in einem Roman angemessen behandelt werden. Über dieses Dilemma berichtete er Gustav Schwab (1792–1850), der den Vertrag mit Brockhaus vermittelt hatte:

»Gegen meine Erwartung hat sich die religiöse Idee, welche der Konzeption zu Grunde liegt, bei Entwicklung gewisser rein innerlicher Motive, die ich unmöglich vernachlässigen durfte, stets weiter aufgetan und immer fruchtbarer erwiesen. Ich überzeugte mich, daß meine Fabel nur durch die gehörige Ausführung des philosophischen Gehalts ihre wahre und volle Bedeutung erhalte und daß dies mehr erfordere als einerseits die Grenze eines Taschenbuchs und andrerseits die vorgeschriebene Zeit gestattete.
Wider meinen Willen und leider sehr zur Unzeit macht somit diese Arbeit Anspruch auf ein selbständiges Werk, und das Vorhandene entweder als Bruchstück oder mit skizzenhaftem Schlusse zu geben, hieße geradezu die Wirkung zerstören [. . .].« (Brief vom 4. 5. 1833; Seebaß II, S. 68)

Mörike lieferte daher nicht die vertraglich vereinbarte Prosa, sondern ein kleines Fragment daraus, daß sich für die »Urania« recht wohl qualifiziere, »da es in der Novelle selbst nur als eine skizzierte Zwischen-Erzählung erscheint« (ebd.): »Miß Jenny Harrower. Eine Skizze von Eduard Mörike«, später bekannter als »Lucie Gelmeroth«.

Die eigentliche Erzählung, inzwischen ob ihres intendierten Umfangs von ihm selbst als Roman apostrophiert, trug wohl den Titel »Die geheilte Phantastin«. Dargestellt werden sollte ein nie näher bezeichnetes religiöses Thema.

Ungünstige Rezensionen des Vorabdrucks – als solchen hatte Mörike die bei Brockhaus veröffentlichte Skizze stets betrachtet –, vor allem persönliche Schwierigkeiten, zu denen die Trennung von Luise Rau und die Inhaftierung des Bruders Karl beitrugen, ließen ihn von einem so anspruchsvollen Projekt, als das sich ihm sein zweiter Roman nun darstellte, für den Augenblick absehen und ihn schließlich für immer Fragment bleiben.

Die weitere Entwicklung, die seine Vorarbeiten nahmen, wird nicht unbeteiligt daran gewesen sein, denn auch eine zweite Einlage verselbständigte sich: in der aus ihr entstandenen Märchennovelle »Der Schatz« fanden außerdem sowohl die »Feldmesser«-Episode, als auch das »Milesint«-Gedicht (in der Gedichtsammlung: »Die traurige Krönung«) dauerhaft Platz, die ursprünglich an andere kleinere Episoden aus dem Umfeld des Romans geknüpft waren.

Hieraus andererseits zu schließen, aus Mörikes Roman sei deshalb nichts geworden, weil er zu groß, zu unübersichtlich angelegt war, ist falsch. Mörikes implizite Romantheorie orientierte sich an Vorbildern, denen das »Prinzip der Kleinteiligkeit« (Sengle, Biedermeierzeit II, S. 1002) zugrunde lag. Es fand seinen Ausdruck im absichtlichen Abbrechen der Haupthandlung, in Einschüben, die Episoden oder, genauso selbstverständlich, ganze Märchen und Novellen umfassen konnten und die oft mit dem Kern nur noch entfernt zusammenhängen. Beim »Maler Nolten« hatte Mörike nach eigener Aussage durch Episoden »die Hauptbegebenheiten solange auseinandergehalten [. . .], als nötig schien, damit das Gemüt des Lesers sich nicht ermüde und für Kapitalschläge empfänglich bleibe« (Brief vom 17. 2. 1833 an Gustav Schwab; Fischer/Krauss I, S. 230). Er hatte in seinem Roman, ohne dies eigens zu erwähnen, den gebildeteren Leserkreis avisiert, der diesem an sich tradierten, durch Goethe neu aufgegriffenen, ausgestalteten und verbreiteten Erzählverfahren Freude abgewinnen konnte. Und er hatte sich außerdem von dem primitiveren Seitenzweig, dem Schauerroman, abgegrenzt. Allerdings – die Einlagen in Goethes Roman »Wilhelm Meisters Lehr- und Wanderjahre« sind zu groß, um noch als vollwertige Bestandteile des Ganzen angesehen zu werden. Dasselbe trifft auf Mörikes für seinen zweiten Roman geplante Einlagen zu. Als er ihn aus rein persönlichen Gründen nicht glaubte weiterführen zu können, ließen sich diese ohne größere Eingriffe nun tatsächlich verselbständigen.

Literatur

Ausgaben
Erstdruck: »Miß Jenny Harrower. Eine Skizze von E. M.« In: Urania, Ta-

schenbuch auf das Jahr 1834. S. 311–339. – Zweiter, wenig bekannter zeitgenössischer Abdruck in der Zeitschrift »Die elegante Welt« (Köln) vom 27. 10. – 17. 11. 1833 in Fortsetzungen.

Rezensionen (Verfasser unbekannt)
Allgemeine Literatur-Zeitung, Jg. 49, Halle 1833, Bd. 3, Sp. 611.
Jenaische Allgemeine Literaturzeitung, Jg. 30, Halle 1833, Bd. 4, S. 298.
Blätter für literarische Unterhaltung, Nr. 316, Stuttgart 12. 11. 1833, S. 1303.

»Lucie Gelmeroth«

Im Mittelpunkt dieser Prosa stehen zwei schicksalhafte Erlebnisse aus der Kinder- und Jugendzeit eines Gelehrten. In seinen Memoiren berichtet er, wie er als Student seine Geburtsstadt besucht und beim Essen in einem Wirtshaus aufgehorcht habe, als sich die Gespräche um Lucie Gelmeroth drehten, die des Mordes am treulosen Verlobten ihrer darüber aus Kummer verstorbenen Schwester verdächtig sei. Da er in ihr die Freundin aus Kindertagen erkennt, beschließt er spontan, sie am folgenden Tag im Gefängnis zu besuchen. Nachts zuvor entsinnt er sich, daß sie schon einmal, damals eines Diebstahls, unschuldig bezichtigt wurde und daß sie ihm gerade deshalb besonders schön und reizvoll erschienen war. Auch dieses Mal erweist sich rasch ihre Unschuld. Der Gelehrte sorgt außerdem für ihre psychische Rehabilitation, indem er sie in eine andere Gegend zu einem Landpfarrer bringt. Doch noch zwei Jahre später, als der Erzähler Lucie heiratet, »verfehlt« die »Welt« nicht, »ein hämisches Mitleid zu zollen« (Mc III, S. 26).

Für die Person des Erzählers ist es charakteristisch, daß seine Zuneigung zu Lucie wesentlich davon abhängt, ihr, der wiederholt unschuldig Verdächtigten, vergeben zu dürfen. Vieles spricht dafür, daß Maria Meyer, die Mörike zur Symbolgestalt der Liebe an sich geworden war, der Hauptperson Lucie Gelmeroth manche Züge geliehen hat. Anders als Maria zieht die weibliche Hauptperson der Prosa vollen Nutzen aus dem »Asyl« (Mc III, S. 25), das ihr »feingesinnte Menschen« (ebd.) bieten. Und nur aus diesem Grund kann sie mit dem Erzähler trotz ihres gesellschaftlichen Makels ein gemeinsames Leben führen, während Mörike seine Maria fliehen mußte.

Die Thematisierung des Gefährdeten und Bedrohlichen, die ja schon Mörikes Roman »Maler Nolten« zugrunde gelegen hatte, ist dabei nicht zufällig. »Lucie Gelmeroth« ist nämlich keine neue und eigenständige Erzählung. Es handelt sich, abgesehen von »veränderten Kleinigkeiten« (Brief vom 3. 2. 1839 an Hartlaub; Hartlaub, S. 83), um ein Werk, das identisch mit demjenigen ist, das Mörike 1833 unter dem Titel »Miß Jenny Harrower. Eine Skizze von Eduard Mörike« als Vorabdruck des geplanten zweiten Romans (s. o.) veröffentlicht hatte. Neu waren eigentlich nur die Namen. Schon die Verlegung der bereits im Vorabdruck deutschen Originalen nachgebildeten Schauplätze (die wiederum teilweise auf eigenen Ludwigsburger Kindheitserinnerungen basierten) von England zurück nach Deutschland, war reine Formsache.

Überarbeitet hatte er seine Vorlage, weil er sich bewußt war, den ursprünglich geplanten Roman nicht mehr realisieren zu können und er die Erzählung zudem für seinen ersten Sammelband »Iris« brauchte, der möglichst aus vorhandenen Stücken bestehen und nicht allzuviel Arbeit erfordern sollte. Daß er sie trotz besseren Wissens in »Iris« durch den Untertitel als Novelle ausgab, hat hier ebenfalls seine Ursache. In Wirklichkeit war sie nach wie vor erst »Skizze«, das heißt, noch nicht in letzter Genauigkeit ausgearbeitete Prosa. Zur wirklichen Novelle wurde sie erst in seinem zweiten Sammelband, »Vier Erzählungen«, als sie nach gründlicherer Überarbeitung endlich doch Geschlossenheit in inhaltlicher, stilistischer und sprachlicher Hinsicht erreichte.

Literatur

Ausgaben

Erstdruck: [Zugleich dritte, leicht überarbeitete Fassung der »Miß Jenny Harrower«]: »Lucie Gelmeroth. Novelle«. In: E. M., Iris. Stuttgart 1839. S. 236–264. – Zweiter zeitgenössischer Abdruck in: E. M., Vier Erzählungen. Stuttgart 1856. S. 115–146.

Sekundärliteratur

s. Gesamtdarstellungen zur Prosa im Kapitel »Grundlagen seines Schaffens«.

»Der Schatz«

Der Arbeit am unvollendeten zweiten Roman entstammt neben »Lucie Gelmeroth« auch die Erzählung »Der Schatz«: die Geschichte des Goldschmieds Hans Arbogast, einem Osterkind, dem die Erlösung einer spukenden Ahnfrau Stellung, Geld und Ehefrau

verschafft. Seine einzige Qualifikation ist die richtige Geburts-
stunde. Handeln kann der ganz und gar passive Held nur auf aus-
drücklichen und genauen Auftrag. Traum und Alltagswelt fließen
ihm dabei so ineinander, daß er und auch der Leser am Ende wirklich nicht mehr weiß, ob »das Wunderbare nur scheinbar ist und
bloßes Spiel« (Brief vom 25. 9. 1840 an Hartlaub; Seebaß I, S. 486).

Es war also der Konzeption nach eine dem Zeitgeschmack ent-
sprechende »phantastische Alltagsgeschichte« (Sengle, Biedermeierzeit II, S. 960), eigentlich kein einfaches Märchen, wie Mörike in
seiner ersten Äußerung dazu vorgab, und schon gar keines im
Volksmärchencharakter, wie es Hermann Kurz zu erkennen
glaubte. Doch so wenig, wie man gewohnt war, strenge Grenzen in
anderen Gattungen der Erzählprosa zu ziehen und einzuhalten,
engte man den Begriff Märchen ein. Mörike gab dies die Möglichkeit, seine Erzählung auch ohne einschneidende Änderungen gleich
welcher Art zuerst dem Märchen, dann der Novelle zuzuordnen.
Den Ausschlag für Mörikes jeweilige Entscheidung gab allem An-
schein nach das Wesen dieser Erzählung im Vergleich zu den mit
ihr abgedruckten Stücken: gegenüber den übrigen Beiträgen des
»Jahrbuchs Schwäbischer Dichter und Novellisten« schien sie mär-
chenhafter zu sein, neben der Oper »Die Regenbrüder«, neben
»Der Bauer und sein Sohn« und »Die Hand der Jezerte« in »Iris«,
beziehungsweise »Vier Erzählungen« überwogen die fiktiv-realen
Tendenzen.

»Der Schatz« hatte entgegen Mörikes Überzeugung keinen Verleger gefunden. Obwohl das Werk in seiner Entstehungszeit, im
Oktober 1834, eine wichtige Form der Dichtung und dementspre-
chend Erwachsenenlektüre war, konnte es in allen drei Fassungen
(die sich übrigens nur in Nuancen unterscheiden) nur im Rahmen
eigener Editionen veröffentlicht werden. Der Grund scheint einer
Rezension der »Iris« zufolge, gerade in der Vermengung von Wunderwelt und Realität gelegen zu haben. Die Abneigung hiergegen
teilten selbst seine Freunde. Ihre ewige, stets erneute Forderung
war, er solle sich generell »die Produktion durch Anschließung an
historische Stoffe, Memoiren und dgl. bedeutend erleichtern und so
in kurzer Zeit und mit geringerem Kraftaufwand Erzählungen
schaffen, die in unserer Literatur doch Goldkörner sein würden«
(Brief Strauß' an Mörike vom 24. 1. 1838; Strauß II, S. 103). Mörike
lehnte dies ebenso oft und nicht minder kategorisch ab: »Was ich
nicht aus mir selbst und etwa dem Leben nehmen kann, hat keinen
Reiz für mich« (Brief vom 12. 2. 1838 an Strauß; Lit. Echo, Sp. 594)
– ein Satz, der symptomatisch für seine gesamte Erzählprosa
wurde.

Ausgaben

Erstdruck: »Der Schatz«. In: Jahrbuch Schwäbischer Dichter und Novellisten. Stuttgart 1836. S. 119–223. – Weitere zeitgenössische Abdrucke in: E. M. Iris. Stuttgart 1839. S. 1–92 und E. M., Vier Erzählungen. Stuttgart 1856. S. 1–114. – Neudrucke: Der Schatz. Hg. und mit einem Nachwort von Fritz *Martini*. Mit einem Frontispiz von Frantisek Chochola. Stuttgart 1980 (im übrigen s. a. Teilsammlungen im Kapitel »Ausgaben«).

Rezensionen (Verfasser unbekannt)

Württembergischer Land-Bote, Nr. 255, 31. 10. 1835.
Beobachter, Nr. 850, 17. 10. 1835.
Phönix – Frühlingszeitung für Deutschland, Nr. 50, Literaturblatt, 19. 12. 1835.
Zeitung für die elegante Welt, Nr. 252, 22. 12. 1835.

Sekundärliteratur

Voelker, Ludwig: »Daß das Wunderbare nur scheinbar ist und bloßes Spiel«. Form und Geist des Erzählens in M's »Der Schatz«. In: Jb. der Dt. Schillergesellschaft. 29 (1985), S. 324–342 (s. a. Gesamtdarstellungen zur Prosa im Kapitel »Grundlagen seines Schaffens«).

»Der Bauer und sein Sohn«

Obwohl ein Märchen, stellt es eine Ausnahme in Mörikes Werk dar. Es ist sein erster und einziger Versuch, eine Auftragsarbeit auszuführen. Sein Bekannter, Professor Plieninger, dem die Redaktion oblag, bat Mörike um »einen unterhaltenden Beitrag für den württembergischen Volkskalender aufs nächste Jahr« (Brief vom 9. 2. 1838 an Mährlen; Seebaß II, S. 98). So erfand er, wie es in der Inhaltsangabe der »Iris«-Rezension heißt, »die Geschichte eines mißhandelten Gauls, der zu einem Königsrosse wird und, während sein hartherziger Peiniger um Haus und Hof kommt, dessen Sohne, seinem heimlichen Wohltäter, zu Glück und Wohlstand verhilft«.

Mörike konnte nach eigenen Angaben »nur 1/2 bis 3/4 Stunde morgens nüchtern im Bett« (Brief vom 9. 2. 1838; s. o.) daran arbeiten, trotzdem kam das fertige Märchen bereits wenige Tage später als Abschrift an einen Freund Hartlaubs. Der Arbeit war jedoch, so flüssig und zügig sie entstand, kein Erfolg beschieden. Plieninger lehnte sie ab, weil sie »den Aberglauben gewissermaßen begünstige« (Brief vom 12. 4. 1838 an Kurz; Seebaß II, S. 454). Zu Mörikes Enttäuschung wurde sie vom »Morgenblatt« ebenfalls abgelehnt, wohl weil sie nach Mörikes bestätigter Befürchtung dafür »allzu simpel« (ebd.) schien. Zunächst beiseite gelegt, fand schließlich auch diese Erzählung ihren Platz im Sammelband »Iris«. Erst für die Veröffentlichung in »Vier Erzählungen« orientierte er sich durch geringfügige Änderungen hin auf seinen neuen Leserkreis.

Literatur

Ausgaben
Erstdruck: »Der Bauer und sein Sohn«. In: E. M., Iris. Stuttgart 1839. S. 265–276. – Weiterer, zeitgenössischer Abdruck in: M., Vier Erzählungen. Stuttgart 1856. S. 147–160. – Neudrucke: Der Bauer und sein Sohn. Märchen. E. M. (Mit Illustrationen von) von Moritz v. Schwind. Tübingen 1975 (s. a. Teilsammlungen im Kapitel »Ausgaben«).

Rezensionen (als Teil der »Iris«-Rezension)
Blätter für Literarische Unterhaltung, Nr. 99, 8. 4. 1840.

Sekundärliteratur
s. Gesamtdarstellungen zur Prosa im Kapitel »Grundlagen seines Schaffens«.

Exkurs: Mörikes Sammelbände

Mörikes Sammelbände sind in mehrfacher Hinsicht so wichtig, daß sie einen Exkurs erfordern.

Beide enthalten je eine Sammlung ausschließlich Mörike'scher Prosa. Es sind Erzählungen, für die Mörike weder eine anderweitige Publikationsmöglichkeit fand, noch einen Verleger, der dem einzelnen Werk Chancen einzuräumen bereit war. Jede dieser Erzählungen bedurfte daher – als Stütze und Kontrast – der anderen.

Beide Sammlungen stehen an Nahtstellen im Schaffen des Dichters. Dennoch haben gänzlich andere Gesichtspunkte ihre Zusammenstellung geleitet. Die »Iris« (1839) umfaßt die frühen Erzählungen. Als Initial ihres Zustandekommens müssen Mörikes Freunde angesehen werden, die ihrem Dichter nach einer Reihe literarischer Mißerfolge Mut und Antrieb geben wollten. Sie vermittelten den Kontrakt, drängten Mörike anzunehmen und – wenn schon nicht Neues zu schaffen – wenigstens das Vorhandene neu aufzuarbeiten. Ganz anders entstand der Gedanke, »Vier Erzählungen« (1856) herauszugeben. Mörike befand sich damals auf dem Höhepunkt seiner literarischen Anerkennung. Das »Stuttgarter Hutzelmännlein« hatte nur zwei Jahre nach der Erstausgabe (1853) eine zweite Auflage erforderlich gemacht. Den endgültigen Durchbruch aber hatte »Mozart auf der Reise nach Prag« bewirkt. Nur ein knappes halbes Jahr nach Vorabdruck und Erstausgabe war eine Neuauflage der Buchausgabe notwendig gewesen. Nie zuvor und nie wieder danach bestand zu Mörikes Lebzeiten eine so große Nachfrage nach seinem Werk, auch seitens der Verleger. Dies bot die Möglichkeit, noch einmal die frühen Stücke zu reaktualisieren und einem neu interessierten Leserkreis zugänglich zu machen.

Heute tragen die Überlegungen, unter denen Mörike seine Sammelbände plante und zusammenstellte, darüberhinaus zu Verständnis seiner Person und seines Verhältnisses zum eigenen Werk bei.

»Iris«

Aus zwei Gründen hatte Mörike sich zu seinem ersten Sammelband überreden lassen: es bedeutete keinen allzu großen Aufwand für ihn, die vorhandene Prosa für den Druck vorzubereiten und es war relativ gut bezahlt, schließlich lebte er in finanziell bedrängten Verhältnissen.

Wie sorgfältig er dennoch plante, zeigt sich in der Auswahl des Titels. »Iris« kannte er als Name eines Taschenbuchs (1803–1813). Man darf davon ausgehen, daß er sich nicht allein an diese Tradition anschließen wollte, sondern ihm Iris, das griechische Wort für Regenbogen, als der gemeinsame Nenner all dessen erschien, was seine Prosa ausmachte. Beschrieben hatte er dies ja schon im 1825 erdachten, 1834 gedruckten Gedicht »An einem Wintermorgen, vor Sonnenaufgang«. Doch auch im Widmungsgedicht seines Bändchens an Therese Krause, der Frau eines seiner Ärzte, hatte er an den Gedanken der bunt-schillernden Vielgestaltigkeit des Regenbogens angeknüpft, der im Vorwort des Sammelbandes noch ein weiteres Mal ausdrücklich beschworen wird: »Die gegenwärtige Sammlung, bei einer mäßigen Anzahl von Stücken gleichwohl eine bunte Unterhaltung durch ihren Titel verheißend, besteht aus fünf, teils früher schon gedruckten, teils bisher unbekannten Piecen [. . .].« Es waren: »Der Schatz«, »Die Regenbrüder«, »Der letzte König von Orplid«, »Lucie Gelmeroth« und »Der Bauer und sein Sohn«.

Seine Erzählungen seien, dies führte Mörike in diesem Vorwort im folgenden aus, auf drei ganz verschiedene Lesertypen abgestimmt: auf den bewußten Leser, der genauer prüft, der auch »einen wohlbedachten Kunstgriff« nicht nur zu erkennen imstande ist, sondern vor allem auch zu schätzen weiß; den »bloßen«, aber gebildeten Leser, der sich »eine müßige Stunde erheitern« will und schließlich den einfachen Leser, den »aus dem Volk«, für den er im Grunde aber nur ausnahmsweise schrieb, in seiner einzigen Auftragsarbeit. Jeder Leser sollte seine ihm gemäße Erzählung finden, den anderen aber, je nach Unterscheidungsvermögen, ebenfalls etwas abgewinnen. Als vorrangig angesehen wurde die vergnügliche Unterhaltung aller Leser. Zu Mörikes Enttäuschung sah die (einzige) Rezension der »Iris«, in den ›Blättern für literarische Unterhaltung‹ (Nr. 99, vom 8. 4. 1840) dieses Anliegen nicht erfüllt.

»Vier Erzählungen«

Dieser zweite Sammelband Mörikes enthält die Erzählungen »Der Schatz«, »Lucie Gelmeroth«, »Der Bauer und sein Sohn« und »Die Hand der Jezerte«. Da alle Erzählungen bereits gedruckt waren, muß Mörike zugute gehalten werden, daß er sie (was sicher auch möglich gewesen wäre) nicht in der ihm vorliegenden Form übernahm, sondern gründlich und umfassend überarbeitete. Sogar eine andere Konzeption legte er seinem zweiten Sammelband zugrunde. Während in »Iris« jede Erzählung nur einen Teil eines Spektrums, eines ideellen Ganzen verkörpern sollte, hat in »Vier Erzählungen« jede, nominell wie tatsächlich, ihr Eigengewicht. »Der Bauer und sein Sohn«, ein Märchen, das anfangs »allzu simpel« schien und »Die Hand der Jezerte«, ursprünglich von Mörike vage als »eine Art Märchen im altertümlichen Stil« umschrieben, profitierten davon am meisten.

Lyrik bis 1840

Nach der Fertigstellung des Romans »Maler Nolten« hatte für Mörike zunächst die Erzählung im Vordergrund gestanden. 1833 und 1834 waren so gut wie keine Gedichte entstanden, 1835 nur ein einziges. Eine ausgesprochen lyrische Phase hatte Mörike erst wieder 1837, seinem in dieser Hinsicht produktivsten Jahr überhaupt. Dies hatte mehrere Gründe. Einmal fühlte er sich häufig krank. Zu krank jedenfalls, um sich auf größere Sachen, wie »Geschichten, Novellen und Märchen« einzulassen (vgl. Brief vom 2. 2. 1838 an Strauß; Seebaß I, S. 443). Zum anderen stand die seit 1834 geplante erste Ausgabe eines reinen Gedichtbandes an und durch die Korrespondenz mit Freunden darüber, sowie das Sammeln und Ordnen der Gedichte zum Manuskript, war er per se lyrisch eingestimmt. Vielleicht, daß folgendes mit eine Rolle spielte: nach der, wenn auch nicht uneingeschränkt, positiven Aufnahme seines Romans hatte er enttäuscht feststellen müssen, wie weitere Prosa abgelehnt wurde, oft erst gar keinen Verleger fand. Die kritischen Freunde Vischer und Strauß drängten ihm zudem gerade für die Prosa eine thematische und stoffliche Richtung auf, die er als seiner nicht gemäß empfand, und die er daher nicht willens war einzuschlagen. So sah er sich mehr denn je auf sich selbst zurückverwiesen, durchaus im positiven Sinn allerdings.

Erste Anzeichen solchen (Selbst-)Bewußtseins zeigt 1832 das Gedicht »Verborgenheit« (»Laß o Welt, o laß mich sein . . .«), das endet: »Laßt dies Herz alleine haben / Seine Wonne, seine Pein!« (Mc I, S. 95) 1837 entstand dann ein Gedicht, in dem ein lyrisches Ich, vom Glück, den liebsten Freunden und gnadenreichen Göttern verlassen, in sich selbst »Trost« (»Ja, mein Glück das lang gewohnte . . .«) findet:

> Was beginnen? werd' ich etwa,
> Meinen Lebenstag verwünschend,
> Rasch nach Gift und Messer greifen?
> Das sei ferne! vielmehr muß man
> Stille sich im Herzen fassen.
> (Zweite Hälfte 1. Strophe; Mc I, S. 101)

Sichtlich ist sein Tenor nicht Resignation, sondern bewußte Selbstbeschränkung.

Die Biographie des Dichters stützt die Vermutung, er habe diesem »Trost« die eigene Erfahrung zugrunde gelegt, sei dort zu einem für sein eigenes Leben wichtigen Beschluß gelangt. Mörike griff nämlich daraufhin früher benutzte Themen oder lyrische Formen wieder auf und fand in ihnen neue Töne und Ausdrucksmöglichkeiten. Außerdem fand er seit 1835 neue Anregungen in der antiken Lyrik, die ihm zunehmend, vor allem nach 1840, wichtig wurden.

Was sich im folgenden als linearer Prozeß darstellt, verlief in Wirklichkeit nebeneinander und gleichzeitig als komplexer, immer souveränerer Umgang mit allen in der Lyrik liegenden Möglichkeiten.

Am Anfang dieser Entwicklung stand die Wiederaufnahme der 1828 begonnenen Balladendichtung: die in ihren Ursprüngen bis 1828 zurückreichenden »Schiffer- und Nixenmärchen« (»Manche

Nacht im Mondenscheine . . .«) wurden 1836 beendet; »Schön-Rothraut« (»Wie heißt König Ringangs Töchterlein . . .«), 1838, bildete den vorläufigen Schluß. Wie aber Kurt Jakob bereits 1936 zeigte, tauchen Balladen in Mörikes Dichtung immer wieder auf, auch im Alterswerk. Interessant dabei ist, daß gute und weniger ausdrucksvolle einander unabhängig von ihrer Entstehungszeit abwechseln.

Eine andere Gruppierung waren die nach Vorbild des Volkslieds entstandenen Gedichte. Vorbild ist mit Heilmann allerdings nicht so zu verstehen, als habe Mörikes Lyrik engeren Anschluß an bestimmte volkslyrische Vorlagen. Doch weil Mörike das Wesen des Volkslieds, sein Prinzip erfaßt hatte, war es ihm möglich, eigene und eigenständige Lieder diesem Genre täuschend nachzubilden. In rascher Folge entstanden – alle 1837 – »Jägerlied« (»Zierlich ist des Vogels Tritt im Schnee . . .«), »Ein Stündlein wohl vor Tag« (»Derweil ich schlafend lag . . .«) und »Die Schwestern« (»Wir Schwestern zwei, wir schönen . . .«). Kennzeichnend für Mörikes Gedichte im Volkston ist die verdeckte, dem sensibleren Leser aber nicht entgehende Kunstfertigkeit des Dichters: mit dem anscheinend treuherzig naiven Ton des jeweiligen Gedichts kontrastieren die Verse der letzten Strophe, die den Volkston durch einen Hintersinn oder eine pointierte Wendung brechen. Am Schluß also unterschied sich ein Mörike-Lied vom Volkslied, zumindest die Freunde Hartlaub und Vischer ließen sich darin nicht täuschen. Mörike hatte ihnen anläßlich seines Gedichts »Die Schwestern« eine Geschichte darüber erfunden, wie er zum Text dieses Lieds gekommen sei: er habe das Lied nämlich auf einem Spaziergang von Kindern gehört und sich die Worte von einer Dienstmagd hersagen lassen. Die Freunde äußerten, Mörikes Bericht zunächst geglaubt, am frappierenden Effekt der Schlußzeilen jedoch unzweifelhaft die Kunstpoesie erkannt zu haben. Mörike konnte sich damit in seinem Kunstwollen verstanden fühlen. Doch nach »Suschens Vogel« (»Ich hatt' ein Vöglein, ach wie fein! . . .«) meldete sich im August 1837 zugleich Überdruß: »Dies soll nun aber auch das letzte aus der naiv sentimentalen Gattung sein« (Brief vom 8. 8. 1837 an Kurz; Fischer/Krauss I, S. 260).

Ballade und Volkslied zeigen beispielhaft, wie sich Mörikes Arbeitsmodus in dieser Zeit gestaltete: in seiner lyrischen Schaffensfreude knüpfte er zunächst an vertraute Formen oder Themen an, führte sie weiter, ehe er sie mindestens vorläufig wieder beiseite legte. Nicht anders verhält es sich mit den von Storz so bezeichneten »orplidischen Nachklängen«. Der Mythos Orplid war 1825 erdacht worden. 1830 wurde »Der letzte König von Orplid« als Einlage in den Roman »Maler Nolten« übernommen. 1831 entstand der »Gesang Weylas« (»Du bist Orplid mein Land . . .«), ein der Beschützerin Orplids gewidmetes, stimmungsvolles Rollenlied. Es verwundert trotzdem, daß Mörike 1837/38, also zwölf Jahre nach der Entstehung Orplids, diese Sphäre wieder auferstehen ließ. In privater und öffentlicher Hinsicht zugleich räumte er ihr die alten Rechte neu ein, in den ›Wispeliaden‹ und dem »Märchen vom Sichern Mann«.

Die ›Wispeliaden‹ umfassen zwei komplexere Dichtungen zu einer bestimmten Figur, Wispel, in einem bestimmten Stil, dem »Wispel-Stil«. Mörike verstand hierunter eine ganz besondere Art von Sprache: eine durch preziöse, oft absichtlich falsch verwandte Begriffe verballhornte Ausdrucksweise, deren scheinbar hoher Stil den nichtigen Inhalt grotesk kontrastiert und so ironische oder satirische Effekte erzielt, die allerdings untrennbar mit der Figur Wispel verbunden sind. Schon im Roman »Maler Nolten« war sie in der Gestalt des diebischen Dieners vorgekommen, der sich wiederholt Künstlertum anmaßt. Ihr eigentlicher Lebensraum aber war seit je Mörikes Tübinger Freundeskreis gewesen. Im aktiven Mitspintisieren tat sich Ludwig Bauer besonders hervor, doch selbst im Briefwechsel mit Hartlaub und Kurz waren die Phantasiegestalten Wispel und seine demselben Umfeld entstammenden Freunde, der »Uchrucker« (von Buchdrucker abgeleitet) und Professor Sichéré, ein affektierter Bel-Esprit, bekannte Größen, von denen es immer wieder Scherzhaftes zu berichten gab.

Die erste ›Wispeliade‹ Mörikes dürfte um 1837 entstanden sein, sie ist nicht datiert. Es ist ein kurzes, dramatisch-fragmentarisches Stück Prosa, das Wispel auf Reisen schildert. Seine zweite ›Wispeliade‹ imitiert einen eigenständigen Gedichtband: »Sommersprossen von Liebmund Maria Wispel – Creglingen, zu haben bei dem Verfasser. 1837«. Er war nicht von ungefähr Ludwig Bauer gewidmet. Den gemeinsamen (Ober-)Titel prägte nicht Mörike selbst, sondern Karl Fischer, der beide Dichtungen aus dessen Nachlaß publizierte.

Eine nicht weniger lebendige Figur im Briefwechsel der Freunde war der »Sichere Mann«. Doch als Mörike das »Märchen vom Sichern Mann« zu veröffentlichen beabsichtigte, stieß er bei ihnen auf Unverständnis: gerade wegen ihrer eigenen Vertrautheit mit dem Stück mußte ihnen seine Veröffentlichung banal und unangemessen vorkommen. Auch hatten Strauß und Vischer schon zu hoffen gewagt, Mörike könne nach und nach sein Märchenschreiben ausgetrieben werden. Sie verbrämten ihre grundsätzliche Ablehnung einerseits in der Forderung nach künftig mehr Realitätsnähe (s. a. Kapitel »Grundlagen seines Schaffens«) und andererseits der Kritik am sachlichen Gehalt des Märchens. Nur für letzteres sah sich Mörike zu einer Rechtfertigung genötigt: »Es kann wohl sein, daß ich die Sache früher etwas anders erzählte, indessen weißt du ja, mein Lieber, wie sich ein Mythos im Lauf der Zeit bald besser, bald schlechter formuliert. (Brief vom 12. 2. 1838 an Strauß; Seebaß I, S. 443) Absichtlich brachte Mörike in diesem Brief sein Märchen mit dem Begriff Mythos in Verbindung und die daraus zu vermutende Nähe zu Orplid ist ebensowenig zufällig:

Lolegrin, der Sohn Weylas ist als eine Art Hofnarr für die Zerstreuung der Götter zuständig. Auf der Suche nach einer neuen, lustigen Geschichte, fällt ihm der Riese Suckelborst ein. Dieser soll die von ihm im Fels verschlafene Schöpfungsgeschichte aufschreiben und den Toten im Hades erklären. Das weitere ist die Beschreibung dessen, wie Suckelborst seine Aufgabe zu erfüllen versucht. Schön sind die Episoden, in denen er Scheunentore zu Blättern seines Buchs, den Schwanz des den Unterricht störenden Teufels zum Lesezeichen umfunktioniert.

Trotz seines zumindest uns heute täuschenden Titels ist das Märchen nicht in Prosa, sondern in Versen, Hexametern, verfaßt. Ulrich Hoetzer befaßte sich mit dieser formalen Seite sowohl kenntnisreich wie eingehend. Aber noch aus einem anderen Grund als dem bei ihm genannten, ist den Hexametern Mörikes Augenmerk zu schenken. Sie sind auch ein Zeichen seiner Beschäftigung mit den antiken Versformen.

Allen bislang genannten Gedichten hatten also Formen, Themen und Stoffe zugrunde gelegen, die Mörike nichts Neues bedeuteten. Neue Anregungen suchte er daher in den antiken Versformen. Zwar waren ihm diese der Art nach sicher seit seiner Ausbildungszeit in Seminar und Stift bekannt, aus eigenem Antrieb aber hatte er sich mit ihnen bislang nicht abgegeben. Nebeneinander einher gingen nun die Beschäftigung mit Lyrik der antiken Dichter Theokrit, Tibull und Catull, sowie selbständiges Dichten nach diesen Vorbildern. Erstere führte Mörike über in das Projekt, eine Anthologie antiker Dichtungen in drei Bänden herauszugeben. Er gedachte diese größtenteils nicht selbst zu übersetzen, sondern beschränkte sich darauf, aus vorhandenen Übersetzungen anderer die zutreffendsten Versionen auszuwählen, beziehungsweise diese teilweise zu verbessern. 1840 erschien der erste Band, die »Classische Blumenlese«. Sie enthält einige Gedichte Catulls, die Mörike selbst aus dem Original übertragen hat. Gerda Rupprecht rechnet diese in ihrer Untersuchung zu den besten Verdeutschungen Catull'scher Lyrik. Sie zeigten jedoch andererseits soviel von der dichterischen Eigentümlichkeit Mörikes, daß er sie später unter seine eigenen aufnehmen konnte.

Von solcher Kunstfertigkeit mußte Mörikes eigenständiges Dichten in antiken Formen natürlich in hohem Maße profitieren. Schon die noch vereinzelten, frühesten Verse sind dafür beredte Beispiele: das als einziges Gedicht des Jahres 1835 entstandene Epigramm »Auf das Grab von Schillers Mutter« (»Nach der Seite des Dorfs, wo jener alternde Zaun dort . . .«) und die Elegie »An eine Lieblingsbuche meines Gartens, in deren Stamm ich Höltys Namen schnitt« (»Holdeste Dryas, halte mir still! Es schmerzt nur wenig . . .«), 1836. Ungewöhnlich an der (sprachlichen) Nachahmung einer arkadischen Handlung ist die sie auslösende Handlung. Nicht ein geliebtes Mädchen ist es, sondern ein schon in Urach verehrter Dichter. Anders ist demzufolge auch der erhoffte Effekt, ein ebenfalls transzendiertes Wunder. »Die natürlichen Ordnungen scheinen einer höheren Macht unterstellt, mit der sie auf geheimnisvollen Weise im Bunde sind« (Heydebrand, S. 213), indem sie diese auf der Erde repräsentieren.

Volle Reife verrät 1837 »An eine Äolsharfe« (»Angelehnt an die Efeuwand . . .«), das den Beginn einer Flut von Lyrik in antiken Versformen markiert, die nach 1840 eine unangefochten zentrale Stellung in Mörikes Schaffen einnahmen. Das Gedicht ist außerdem noch in anderer Hinsicht bedeutsam. Trotz des täuschenden Titels ist es kein »Dinggedicht«, wie man später eine von Mörike erfundene Art Lyrik nannte, in der ein Objekt Gegenstand der Betrachtung ist. Hier jedoch gilt die Reflexion nicht der Äolsharfe, aber die durch sie erzeugten Töne schaffen »den Stimmungsraum für die schweifenden Gedanken und Empfindungen des Ich« (Heydebrand, S. 158), die letztlich mit dem Tod von Mörikes Bruder August (am 25. 8. 1824) zusammenhängen.

> Ihr kommt, Winde fern herüber,
> Ach! von des Knaben,
> Der mir so lieb war,
> Frisch grünendem Hügel.
> (Anfang 2. Strophe; Mc I, S. 37f.)

Es ist eine Totenklage und der Dichter setzt sie, um dies zu unterstreichen und zugleich wohl, um seinen ungleich poetischeren Ausdruck zu kontrastieren, zu den vorangestellten lateinischen Versen Horaz' (Oden, Buch 2, Nr. 9, V. 9ff.) in Bezug. Diese erscheinen bei Maync (I, S. 37) in einer Übersetzung Johann Heinrich Voß' (1751–1826), die Mörike genannt haben könnte:

Du traurest endlos durch Melodien des Grams
Um Mystes Abschied; weder wenn Hesperus
Aufsteiget, räumt dein Herz die Sehnsucht,
Noch wenn der Sonne Gewalt er fliehet.

1837 und 1838 entstanden vor allem Epigramme. Wie die antiken Vorbilder haben die Epigramme Mörikes das Distichon (d. h. den Doppelvers) als Bauprinzip, doch der Vorrang der Vier- und Sechszeiler ist bereits gebrochen. Auch inhaltlich haben sie sich vom konkreten Lehrobjekt weit entfernt. Mörikes Verse dienen meist nicht der Erläuterung einer Sache, sondern sind Erlebnisbilder ohne jeglichen didaktischen Beiklang, daher oft mit Bezug zum Menschen, zum Teil auf Freunde und Bekannte gemünzt: »Johann Kepler« (»Gestern als ich vom nächtlichen Lager den Stern nur im Osten . . .«), 1837; »An Hermann« (»Unter Tränen rissest du dich von meinem Halse! . . .«), 1837, das sich auf seinen Jugendfreund Hermann Hardegg bezieht oder »An meinen Arzt, Herrn Dr. Elsäßer« (»Siehe! da stünd' ich wieder auf meinen Füßen . . .«), 1838. Dasselbe gilt für Gedichte, die dies nicht durch ihren Titel verraten: »Bei Tagesanbruch« (»Sage doch, wird es denn heute nicht Tag? es dämmert so lange . . .«), »Muse und Dichter« (»Krank nun vollends und matt! Und du, o Himmlische willst mir . . .«) oder »Vicia faba minor« (»Fort mit diesem Geruch, dem zauberhaften: Er mahnt mich . . .«), die alle von 1837 datieren.

Einen eigenen und weniger bekannten Zweig seiner Epigrammatik stellen Gedichte dar, zu denen ihn die Anthologia Graeca angeregt hat. Nach den in anakreontischen Liedern enthaltenen Vorbildern entstanden ihm ähnlich unbefangene Verse mehr oder minder erotischen Inhalts: so in »Lose Ware« (»Tinte! Tinte, wer braucht! schön schwarze Tinte verkauf' ich . . .«), 1837, das die Tradition, in der Mörike hierbei steht, besonders deutlich zeigt. Es lehnt sich direkt an das seit dem 17. Jahrhundert besonders häufig übersetzte 41. anakreontische Lied »Besuch des Eros« an. Die wenig später entstandenen Gedichte »Leichte Beute« (»Hat der Dichter im Geist ein köstliches Liebchen empfangen . . .«, vor 1838) und »Maschinka« (»Dieser schwellende Mund, den Reiz der Heimat noch atmend . . .«, 1838) wurzeln hier letztlich ebenso, wie eine zweite Serie so gearteter Lyrik, die 1845/46 folgte.

Nicht wenige der genannten Gedichte werden, sobald sie mehr als sechs Zeilen aufweisen, wegen ihrer Länge in der Literaturwissenschaft nicht als echte Epigramme betrachtet. Andererseits wollen sie ebenso wenig ins Bild dessen passen, was heute als Elegie bezeichnet wird. Dieses Dilemma veranlaßte Victor Doerksen zu einer eingehenden Untersuchung. Sein Ziel war keine gattungsgeschichtliche Studie, sondern eine durchgehende Interpretation derjenigen Gedichte, die im weitesten Sinne das elegische Maß zugrunde legen. Der Streit über die Gattungszugehörigkeit muß seiner Ansicht nach entfallen und zwar mit folgender Begründung: die Elegie in der Antike sei eine Form, ein Maß; nicht aber eine Stimmung oder gar Inhaltsbestimmung. Die römische Elegie sei in der Hauptsache nicht Todes- oder Grabgedicht, sondern Liebeslyrik; in der griechischen Antike sei Elegie und Epigramm kaum zu scheiden. Ein beträchtliches Corpus der Gedichte in Distichen dürfe daher mit vollem Recht als »Elegien und Epigramme« (S. 11) bezeichnet werden.

Ob Doerksens Arbeit einen allen gangbaren Weg gefunden hat, muß bezweifelt werden. Es zeigt sich hier jedoch ein für Mörikes gesamtes Werk typisches Problem. Viele seiner Werke, Prosa oder Lyrik, entziehen sich einer eindeutigen Zuordnung, für das eine wie für das andere lassen sich fast immer überzeugende Kritierien finden. Die Frage, ob Elegie oder Epigramm, aber bleibt das schwierigste Problem – schon wegen der großen Anzahl so beschaffener Gedichte.

Literatur

E. M's Gedichtband
Erstdruck: »Gedichte«. Stuttgart, Tübingen 1838. – Intensiv überarbeitete, zeitgenössische Auflagen folgten 1848, 1856 und 1867.

Rezensionen
Zur Erstausgabe 1838:
Europa. Chronik der gebildeten Welt, Bd. 4. 1838, S. 421–424.
Ost und West. Blätter für Kunst, Literatur und geselliges Leben, Nr. 83, Jg. 2, 1838.
Wolfgang *Menzel.* In: Morgenblatt für gebildete Stände, Literaturblatt, Nr. 45, 3. 5. 1839.
C. *Reinhold* [= Reinhold *Köstlin*]. In: Hallische Jahrbücher für dt. Wissenschaft und Kunst, Nr. 18/19, Jg. 2. 1839.
Gustav *Schwab.* In: Heidelberger Jahrbücher für Literatur, Nr. 17, Jg. 1839.
Friedrich Th. *Vischer.* In: Jahrbücher für wissenschaftliche Kritik. Nr. 14ff., Jg. 1839.
Henri *Blaze.* In: Revue des Deux Mondes 3 (1845), S. 118–128.

Zur zweiten Auflage 1848:
David Fr. *Strauß.* In der: Beilage zur Allgemeinen Zeitung, Nr. 338, 4. 12. 1847.

Zur dritten Auflage 1856:
Wolfgang *Menzel.* Im: Morgenblatt für gebildete Stände, Literaturblatt,
    Nr. 2, 7. 1. 1857.
Beilage zur Allgemeinen Zeitung, Nr. 333, 29. 11. 1866.

Zur vierten Auflage 1867:
Schwäbischer Merkur, Nr. 164, 12. 7. 1867.

Die ›Wispeliaden‹

Erstdruck in: E. M. Werke. Hg. vom Kunstwart durch Karl *Fischer*, Bd. 2,
    S. 209–223 (»Sommersprossen«); beziehungsweise S. 224–227 (»Wispel
    auf Reisen«). – Beide Texte sehr fehlerhaft.
Nach der Handschrift verbesserter Druck in: E. M's Werke. Hg. von Harry
    Maync, Bd. 2, S. 435–448 (»Sommersprossen«) und S. 449–452 (»Wispel
    auf Reisen«).
Ehrler, Hans H.: Wispel. In: Der Schwäbische Bund 2 (1920), S. 276–278.
Jennings, Lee B.: Suckelborst, Wispel and M's Mythopoeia. In: Euphorion
    69 (1975), H. 3, S. 320–332.
Liede, Alfred: Das dämonische Spiel. M's Wispeliaden. In: Liede, Dichtung
    als Spiel, Bd. 1, Berlin 1963. S. 27–72.

»Das Märchen vom Sichern Mann«

Erstdruck in: E. M. Gedichte. Stuttgart, Tübingen 1838. S. 174–189.
Nachdruck (u. a.): Eduard Mörike: Märchen vom Sichern Mann. Mit der
    Zeichnung von Moritz von Schwind. Stuttgart 1950.
Bergsträsser, Arnold: M's Märchen vom Sichern Mann. In: Bergsträsser,
    Staat und Dichtung. Freiburg 1967. S. 231–238.
Guardini, Romano: Das Märchen vom Sichern Mann. In: Guardini, Ge-
    genwart und Geheimnis. Würzburg 1957. S. 65–97.
Hoetzer, Ulrich: »Grata negligentia« – »ungestiefelte Hexameter«. Bemer-
    kungen zu Goethes und M's Hexametern. In: Der Deutschunterricht 16
    (1964), S. 86–108.
Jennings, Lee B. – s. ›Wispeliaden‹.
Stern, Martin: M's Märchen vom Sichern Mann. In: Euphorion 60 (1966),
    S. 193–208; s. a. in: Doerksen, E. M. Darmstadt 1975. S. 356–379.

Mörike als Übersetzer

Erstdruck: »Classische Blumenlese. Eine Auswahl von Hymnen, Oden,
    Liedern, Elegien, Idyllen, Gnomen und Epigrammen der Griechen und
    Römer, nach den besten Verdeutschungen. Theilweise neu bearbeitet,
    mit Erklärungen hg. von E. M.«. Bd. 1. Stuttgart 1840.
Rupprecht, Gerda: M's Leistung als Übersetzer aus den klassischen Spra-
    chen. Gezeigt durch Vergleiche mit anderen Übersetzungen, besonders
    mit den von ihm neu gestalteten Übersetzungen. München 1985.

Zur Gattungsproblematik Elegie/Epigramm

Doerksen, Victor G.: M's Elegien und Epigramme. Eine Interpretation.
    Diss. Zürich 1964.

Sekundärliteratur zu einzelnen Gedichten
»Trost«: *Bauer*, Gerhard. In: Wirkendes Wort 13 (1963), S. 17–25.
»An eine Äolsharfe«: *Crichton*, Mary C. In: Seminar 16 (1980), S. 170–180;
    Kraft, Werner. In: Kraft, Augenblicke der Dichtung. München 1964. S.
    121–124.

Lyrik nach 1840

Ende der dreißiger Jahre hatte Mörike eine Vorliebe für antike
Versformen entdeckt, insbesondere für Distiche (griech.: »Doppel-
verse«), die seit der Antike häufig für Elegien, Epigramme oder In-
schriften verwendet wurden. Nun erinnerte er sich auch wieder an
die Reimstrophe, die er aber im Gegensatz zu früheren Jahren stark
vereinfachte. Sonett und Stanze traten fast ganz zurück und statt
der acht- oder sechszeiligen Strophe benützte er fast nur noch die
vierzeilige, paarig oder kreuzweise gereimte.

Ein Beispiel für ein solches Reimstrophengedicht ist »Auf eine
Christblume« (»Tochter des Walds, du Lilienverwandte . . .«;
1841), das zudem in noch anderer Hinsicht wichtig ist: es verkörpert den frühesten Beleg für eine Gattung, deren Erfindung man
Mörike zuschreibt, das »Dinggedicht«. Von Nordheim hat es defi-
niert als ein »Gedicht, welches ein Ding – das heißt einen toten Gegenstand oder zumindest ein sprach-loses Wesen – um seiner selbst
willen in vorwiegend beschreibender Weise behandelt und zwar
ausdrücklich mit dem Anspruch eines Kunstwerks« (S. 76).

»An eine Äolsharfe« (»Angelehnt an die Efeuwand . . .«; 1837)
ist dennoch kein Dinggedicht, da dort Betrachtungen die Haupt-
rolle spielen, die der bestimmte Gegenstand lediglich auslöst. Ein
Dinggedicht ist daher unabhängig von der Form und vom Versmaß
rein inhaltlich bestimmt. Es gilt Dingen der Kunst, wie die Gedichte »Auf ein altes Bild« (»In grüner Landschaft Sommer-
flor . . .«; 1837), »Auf eine Lampe« (»Noch unverrückt, o schöne
Lampe . . .«; 1846), »Inschrift auf eine Uhr mit drei Horen« (»Am
langsamsten von allen Göttern wandeln wir . . .«; 1846), sowie
»Schlafendes Jesukind« (»Sohn der Jungfrau, Himmelskind . . .«;
1862); letzteres bezog sich einem Brief Mörikes an Hartlaub vom
23. 5. 1862 zufolge auf ein Bild des Malers Francesco Albani
(1578–1660), das Mörike aus einer Abbildung in der Zeitschrift
»Freya« kannte. – Das Dinggedicht kann aber ebenso gut ästhetisch
erfaßte Einzelerscheinungen aus der Natur thematisieren. Beispiele
hierfür sind »Auf eine Christblume«, »Die schöne Buche« (»Ganz

verborgen im Wald kenn' ich ein Plätzchen . . .«; 1842) und »Corona Christi« (»Der Mutter eigen von dem Sohne . . .«; o. J.), das einer Kleeart gilt, die der Legende nach von Maria blühend unter dem Kreuze gefunden wurde.

Mörikes bekanntestes Dinggedicht ist »Auf eine Lampe«, für Romano Guardini eine »kostbare Einheit zwischen der Anmut des Gegenstandes und der Sprache« (S. 29). Gerade aufgrund der Sprache aber hat es die Germanisten in intensive, endlose Diskussionen verwickelt. Sie alle entzündeten sich an einem Wort des letzten Verses, der Frage nach der Bedeutung von »scheinen« im Kontext des Gedichts, das endet:

> Ein Kunstgebild' der echten Art. Wer achtet sein?
> Was aber schön ist, selig scheint es in ihm selbst.
> (Mc I, S. 86)

Es »scheint«, als ob alle Interpreten, angefangen bei Heidegger und Staiger, sich den Vorwurf gefallen lassen müßten, das »Kunstgebild« des Gedichts mißachtet zu haben. Was Mörike letztlich dazu getrieben hat, gerade solche Lyrik zu verfassen? Von Nordheim vermutet die Ursache in Mörikes besonderer Lebensdisposition. Sein »Holdes Bescheiden« hätte ihm die Fähigkeit gegeben, sich beeindrucken zu lassen, das Absolute zu erkennen und sich so aus der irdischen Vereinzelung zu befreien.

In formaler Hinsicht beherrschte Mörikes Dichtung dieser Zeit außerdem der Senar. Diese Versform hat wie der Hexameter sechs Füße, die jedoch nicht aus sechs Daktylen, sondern aus doppelt zählenden, jambischen Trimetern besteht. Sein frühestes Gedicht in diesem Versmaß ist »An Longus« (»Von Widerwarten eine Sorte kennen wir . . .«; 1841), eine Epistel, das heißt ein Brief in Versen. Eine erste und zugleich richtungsweisende Ausprägung dieser Gattung fand sich bei den Römern, besonders bei Horaz. Es ist die an eine zufällige Person gerichtete oft ironische Darstellung von Ereignissen oder Empfindungen mit meist lehrhaftem Zug, ohne aber mehr als Dichtung in einer bestimmten Form sein zu wollen. Dem trägt nur Rückert Rechnung; alle anderen Interpreten verirren sich, bedingt durch Form und Seltenheit der Gattung, in die Suche nach dem Adressaten. Insgesamt hat Mörike an die zwanzig Episteln geschrieben. Diese Zahl schwankt, weil die Grenzen der Gattung fließen, beziehungsweise eine feste Zuordnung seiner Gedichte zu ihr nicht immer möglich ist.

»An Longus« verdient die größere Beachtung, die es seit je erfahren hat, nicht zuletzt durch seine hervorragend gefaßte, noch heute aktuelle Kritik des »Sehrmannes«, die man dem verbreiteten Mörike-Bild nach kaum erwarten könnte. Was Mörike beschrieb, sind Menschen, die etwas »sehr« darstellen wollen:

> Nun dieser Liebenswerte, dächt' ich, ist doch schon
> Beinahe, was mein Longus einen Sehrmann nennt,
> Und auch die Dame war in hohem Grade sehr.
> Doch nicht die affektierte Fratze, nicht allein
> Den Gecken zeichnet dieses einz'ge Wort, vielmehr,
> Was sich mit Selbstgefälligkeit Bedeutung gibt,
> Amtliches Air, vornehm ablehnende Manier,
> Dies und noch manches andere begreifet es.
> (3. strophischer Abschnitt; Mc I, S. 165)

Maync bezweifelt im Anhang des von ihm herausgegebenen Gedichtbandes, daß Mörike diesen Ausdruck erfunden habe. Seine Argumentation überzeugt jedoch nicht, die von ihm angeführten Beispiele gehen in eine gänzlich andere Richtung als die Mörikes.

Ebenfalls von 1841 und in Senaren ist das Gedicht »Waldplage« (»Im Walde deucht mir alles miteinander schön . . .«). Inhaltlich steht es in krassem Gegensatz zu »An Longus«. Es beschreibt humorvoll die Störung der Waldidylle durch Schnaken, wobei Mörike nicht vergaß, die gewählte Metrik als zum Gegenstand passend anzuführen:

> Sogleich beschreib' ich dieses Scheusal, daß ihr's kennt;
> Noch kennt ihr's kaum und merkt es nicht, bis unversehens
> Die Hand euch und, noch schrecklicher, die Wange schmerzt.
> Geflügelt kommt es, säuselnd, fast unhörbarlich;
> Auf Füßen, zwei mal dreien, ist es hochgestellt
> (Deswegen ich in Versen es zu schmähen, auch
> Den klassischen Senarium mit Fug erwählt) . . .
> (Mc I, S. 168).

Seine metrische Ordnung sowie sein humoriger Ton sind auch anderen Versen eigen, dem Gedicht »Erbauliche Betrachtung« (»Als wie im Forst ein Jäger . . .«) von 1846, wie auch dem ein Jahr später entstandenen »Ach einmal noch im Leben« (»Im Fenster jenes alt verblichnen Gartensaals . . .«). Letzteres thematisiert die elegische Rückwende zu einer idyllisierten Vergangenheit. Konkret die Utopie einer pfarrherrlichen Lebensform, die Mörike selbst nie erreichte, was ihn aber nicht hinderte, eher reizte, sie wiederholt auszumalen. Interessant ist das Gedicht auch, weil es gewohnten Erwartungshaltungen Lyrik gegenüber zuwider handelt. Der Überschrift folgt zunächst eine textlose Notenzeile, deren Aussage Notenunkundigen vorerst verborgen bleibt, denn Mörike kommt nicht vor der Mitte des Gedichts darauf zu sprechen. Dann jedoch zeigt sich, daß nicht zufällig die Oper »Titus« (von W. A. Mozart) zitiert wurde. Der verklärten Vergangenheit werden zusätzlich Beständigkeit und Treue, wesentliche Motive auch der Oper, wehmütig zu-, der tristen Gegenwart hingegen aberkannt.

In all diesen Gedichten vertraut geworden mit dem Versmaß des Senars, dessen Anwendungsbereiche Mörike für sich bereits erweitert hatte, wurde es ihm nicht schwer, darin auch Gelegenheitsgedichte zu verfassen. Als Beispiel sei nur »An den Vater meines Patchens« (»Der Knabe, der zehn Jahre später dir ein Freund . . .«; 1845), Hartlaub, erwähnt. Trotzdem verwendete er nach wie vor für Gelegenheitsgedichte häufig das von ihm so bezeichnete »bequeme« Versmaß: reimlose, stichisch gereimte Trochäen. Der schnelle, eilende Gang des trochäischen Verses, seine Lebhaftig- und Beweglichkeit schienen ihm gleichermaßen für eine Huldigung geeignet, zum Beispiel »An Karl Mayer« (»Dem gefangenen, betrübten Manne . . .«; 1841), wie dafür, eine Eingebung guter Laune zu notieren, so in den Gedichten »An meinen Vetter« (»Lieber Vetter . . .«; 1837), »An Denselben« (»Hör' er mir einmal, Herr Vetter . . .«; 1840), »Ländliche Kurzweil« (»Um die Herbstzeit, wenn man abends . . .«; 1842) und »Abreise« (»Fertig schon zur Abfahrt steht der Wagen . . .«; 1846).

Nach 1846 schrieb Mörike an selbständiger Produktion fast nur noch Gelegenheitsgedichte. Dies, obwohl er sich in eben dieser Zeit intensiv mit Übersetzungen antiker Dichter beschäftigte. Die Studien verdienter Vorgänger komprimierte er in Abhängigkeit vom Original zu in Form, Gehalt und Stil ausgezeichneten Verdeutschungen, die in insgesamt drei voneinander unabhängigen Bändchen niedergelegt sind: in »Classische Blumenlese« (1840), »Theokritos, Buon und Moschus« (1850) und »Anakreon und die sogenannten anakreontischen Lieder« (1864).

Die gleichzeitige scheinbare Verengung auf Gelegenheitsgedichte steht dazu nicht im Widerspruch. Anne Ruth Strauß verweist in Anlehnung an Sengle ausdrücklich auf die »untrennbare Zusammengehörigkeit von Kunst- und Gelegenheitsdichtung in Mörikes Werk als Spiegelung der engen Beziehung, in der sein künstlerisches Schaffen zu seiner Lebenswirklichkeit stand« (S. 3f.). Trotzdem unterscheiden sich beide Arten von Mal zu Mal darin, wieviel an poetischer Gestimmtheit in sie einfließt, ob sie mehr sind, als Dokumente kleinerer oder größerer, augenblicklicher und privater Freuden oder Leiden. Es darf daher nicht übersehen werden, daß die meisten der Gelegenheitsgedichte erst aus dem Nachlaß veröffentlicht wurden. Daß seine Lyrik in den Gelegenheitsgedichten nicht versandete, sondern durch plötzlich auftauchende, vollste Beherrschung der Mittel verratende und zeitlos schöne, lyrische Gebilde unterbrochen wurde, gehört mit zum Phänomen Mörike.

1863 entstand die Elegie in freien Rhythmen »Erinna an Sappho« (»Vielfach sind zum Hades die Pfade . . .«). Es beschreibt die unvermittelte Todesahnung Erinnas und ihren Bericht darüber an Sappho:

> Als ich am Putztisch jetzo die Flechten löste,
> Dann mit nardeduftendem Kamm vor der Stirn den Haar-
> Schleier teilte, – seltsam betraf mich im Spiegel Blick in
> Blick.
> Augen, sagt' ich, Augen, was wollt ihr?
> Du, mein Geist, heute noch sicher behaust da drinne,
> Lebendigen Sinnen traulich vermählt,
> Wie mit fremdendem Ernst, lächelnd halb, ein Dämon,
> Nickst du mich an, Tod weissagend!
> – Ha, da mit eins durchzuckt' es mich
> Wie Wetterschein! wie wenn schwarzgefiedert ein tödlicher
> Pfeil
> Streifte die Schläfe hart vorbei,
> Daß ich, die Hände gedeckt aufs Antlitz, lange
> Staunend blieb, in die nachtschaurige Kluft schwindelnd hinab.
> (3. strophischer Abschnitt; Mc I, S. 86f.).

Es wird die Präsenz, die Nähe und Unausweichlichkeit des Todes zu umschreiben versucht. Ein Thema, das schon dem Gedicht »An eine Äolsharfe« und dem in Bezug und Art der Gestaltung näheren »Denk' es, o Seele!« (»Ein Tännlein grünet wo . . .«), zugrunde lag. Besser als viele Interpretationsversuche es konnten, traf der Maler Moritz von Schwind das innerste Wesen dieses Spätwerks, als er Mörikes Bitte um dessen Illustration abschlägig beschied, weil es ihm in seinem eigensten Bereich, der Sprache, vollkommen aufgegangen schien:

»Ganz abgesehen von dem kleinen Format, das solche Feinheiten im Ausdruck so gut als unmöglich macht, halte ich es für unmöglich, das Unheimliche, das sie in ihren Augen bemerkt, und ihr Stutzen darüber zugleich sichtbar zu machen. Wäre es ein weniger zartes und unberührbares Ding, so wäre ich bald fertig, ich hielte mich an das höchst sichtbare Sprichwort: ›Der Tod schaut ihr über die Achsel‹. Aber sagen Sie selbst, ob das nicht unerträglich plump und grob ist gegen Ihr Gedicht. Es ist aber nicht anders. So gut es Gedichte gibt, denen man schaden würde, wenn man sie in Musik setzt, so gibt es Gedichte, die so fein sind, daß sich ein Maler sicherlich blamiert, wenn er meint, dergleichen Hauche von Empfindungen ließen sich sichtbar machen.« (Brief vom 17. 12. 1863; Schwind, S. 20)

Im selben Jahr wie »Erinna an Sappho« entstanden die »Bilder aus Bebenhausen« (»Heute dein einsames Tal durchstreifend . . .«). Mörike kannte und liebte Bebenhausen mit seiner Zisterzienserabtei bereits seit seiner Tübinger Zeit. In diesem Gedicht beschrieb er im Gegensatz zu »Besuch in Urach« kein Erinnern an eine abgeschlossene Lebensperiode, sondern den wachen, reflektierenden Gang durch eine gerne und sicher nicht zum letzten Mal besuchte Stätte. Aus diesem Grund konnte Mörike am Ende des Gedichts ausdrücklich darauf verzichten, sich das Gesehene als gezeichnete Skizze bewahren zu müssen: »Nun, wo ich künftig auch sei, fürwahr mit geschlossenen Augen / Seh' ich dies Ganze vor mir, wie es uns kein Bildchen gibt.« (Mc I, S. 193) Ihrer Stimmung und ihres Gegenstandes wegen rechnete Storz die »Bilder aus Bebenhausen« zu den Idyllen. Tatsächlich gehören sie jedoch zur Lyrik. Ihrer Form nach, als Elegie und ihres zyklischen Charakters wegen. Wie bei den »Peregrina«-Gedichten hatte Mörike diesen nämlich, einem Brief an Hartlaub vom 25. 9. 1863 zufolge, von Anfang an geplant. Nicht geplant war dagegen, daß es das letzte Werk des erst elf Jahre später verstorbenen Dichters werden sollte.

Literatur

Die Übersetzungen Mörikes
»Classische Blumenlese« sowie Literatur, s. Kapitel »Lyrik bis 1840«.
»Theokritos, Buon und Mochus. Deutsch im Versmaße der Urschrift von E. M. und Friedrich Notter«. Stuttgart 1855.
»Blumen aus der Fremde. Poesien von Gongora, Manrique, Camoens, Milton, Giusti, Leopardi, Longfellow, Th. Moore, Wordsworth, Burns, Lamartine u. v. A. Neu übertragen von Paul Heyse, Karl Krafft, E. M., Friedrich Notter, Ludwig Seeger«. Stuttgart 1962.
»Anakreon und die sogenannten Anakreontischen Lieder. Revision und Ergänzung der Johann Fr. Degen'schen Übersetzung mit Erklärungen von E. M.« Stuttgart 1864.

Literatur zum »Dinggedicht«
Burger, Marcella: Die Gegenständlichkeit von M's lyrischem Verhalten. Die Entwicklung von M's Lyrik zum Dinggedicht. Diss. (Masch.) Heidelberg 1948.
Heydebrand, Renate von: E. M's Gedichte zu Bildern und Zeichnungen. In: Heydebrand, Bildende Kunst und Literatur. Frankfurt/M 1970. S. 121–156.

Nordheim, Werner von: Die Dingdichtung E. M's. Erläutert am Beispiel des Gedichts ›Auf eine Lampe‹. In: Euphorion 50 (1956), S. 71–85.
Oppert, Kurt: Das Dinggedicht. Eine Kunstform bei M., Meyer und Rilke. In: DVjS 4 (1926), S. 747–783.

Zu Mörikes »Episteln«

Doerksen, Victor G.: »Was auch der Zeiten Wandel sonst Hinnehmen mag«. The Problem of Time in M's Epistulary Poetry. In: Doerksen, Deutung und Bedeutung. Den Haag, Paris 1973. S. 134–141.
Rückert, Gerhard: M. und Horaz. Nürnberg 1970.
ders.: Die Epistel als literarische Gestaltung. Horaz – M. – Brecht. In: Wirkendes Wort 22 (1972), S. 58–70.

Zur Gelegenheitslyrik

Strauß, Anne R.: M's Gelegenheitslyrik. Zum Verhältnis von Kern und Peripetie in seinem dichterischen Werk. Diss. (Masch.) Marburg 1960.

Zu einzelnen Gedichten

»Auf eine Christblume«: *Böschenstein*, Bernhard. In: Euphorion 56 (1962), S. 345–364; *Melchinger*, Siegfried. In: Reich-Ranicki, Frankfurter Anthologie, Bd. 7. Frankfurt/M 1983. S. 95–97; *Schwarz*, Peter P. In: Sprachkunst 5 (1974), S. 196–210; *Storz*, Gerhard. In: Die dt. Lyrik, hg. von Benno von Wiese, Bd. 2. Düsseldorf 1956. S. 79–90.
»Auf eine Lampe«: *Appelbaum-Graham*, Ilse. In: Modern Language Notes 68 (1953), S. 328–333; *Burkhardt*, Sigurd. In: Wirkendes Wort 8 (1958), S. 277–280; *Enzinger*, Moriz: M's Gedicht auf eine Lampe. Graz, Wien, Köln 1965; *Guardini*, Romano. In: Guardini, Gegenwart und Geheimnis. Würzburg 1957. S. 25–33; *Heidegger*, Martin und Emil *Staiger*. In: Trivium 9 (1951), S. 9–25 (s. a. in: Doerksen, E. M. Darmstadt 1975. S. 241–253); *Melchinger*, Siegfried. In: Reich-Ranicki, Frankfurter Anthologie, Bd. 7. Frankfurt/M 1983. S. 95–97; *Nordheim*, Werner von. In: Euphorion 50 (1956), S. 71–85; *Politzer*, Heinz. In: Modern. Language Notes 68 (1951), S. 432–437; *Schneider*, Wilhelm. In: Schneider, Liebe zum dt. Gedicht. Freiburg [2]1954. S. 98–104; *Spitzer*, Leo. In: Trivium 9 (1951), S. 133–146 (s. a. in: Doerksen, E. M. Darmstadt 1975. S. 254–269); *Staiger*, Emil. In: Neophilologus 35 (1951), S. 6–14; *Weithase*, Irmgard. In: DVjS 41 (1967), S. 61–81.
»Die schöne Buche«: *Belmore*, H. W. In: German Life and Letters 31 (1978), S. 313–318; *Guardini*, Romano. In: Guardini, Gegenwart und Geheimnis. Würzburg 1957. S. 15–24; *Rolleston*, James. In: The German Quarterly 53 (1980), S. 403–417.
»An Longus«: *Hartlaub*, Gustav F. In: Euphorion 46 (1952), S. 80–84; *Rath*, Hanns W. In: Dt. Rundschau 179 (1919), S. 402–415 u. 180 (1919), S. 139–147; *ders.*: M's Epistel »An Longus« und ihre Komisch-tragische Vorgeschichte. Ludwigsburg 1924.
»Ach einmal noch im Leben«: *Kienzle*, Michael u. Dirk *Mende*. In: Der Deutschunterricht 31 (1979), H. 2, S. 61–84.

»An meinen Vetter«: *Hargreaves*, Raymond. In: For Lionel Thomas. Hull
    1980. S. 109–118.
»Erinna an Sappho«: *Guardini*, Romano. In: Guardini, Gegenwart und Ge-
    heimnis. Würzburg 1957. S. 34–49; *Müller*, Joachim (1958). In: Doerk-
    sen, E. M. Darmstadt 1975. S. 303–319; *Weissenberger*, Klaus. In: Weis-
    senberger, Formen der Elegie von Goethe bis Celan. Bern 1969. S. 91–96;
    Taraba, Wolfgang Fr. In: Die dt. Lyrik, hg. von Benno von Wiese, Bd. 2.
    Düsseldorf 1956. S. 98–102.
»Bilder aus Bebenhausen«: *Burger*, Hermann. In: Schweizer Monatshefte
    55 (1975/76), H. 11, S. 887–894; *Dürr*, Volker O. In: The German Quar-
    terly 48 (1975), S. 190–203.

Idyllen

Das Idyllische bei Mörike

Die Idyllen nehmen in Mörikes Gesamtwerk eine besondere Stellung ein. Einmal, weil sie noch vor der »Mozart«-Novelle ein größeres Lesepublikum erreichten, zum anderen, weil aus ihnen »die
Legende des weltabgewandten, beschaulichen und harmlosen Idyl-
likers« (Meyer-Guyer, S. 5) hergeleitet wurde. Diese falsche Etiket-
tierung, die lange Zeit Gültigkeit hatte, braucht inzwischen nicht
mehr widerlegt zu werden. Wichtig ist jedoch die Feststellung, daß
die Idyllendichtung einen breiten und bedeutenden Raum in Mörikes Werk einnimmt und damit auch die Frage nach dem Verhältnis
Mörikes zu dieser Gattung.

Im folgenden werden nur die beiden größeren und bekannteren
Idyllen, die »Idylle vom Bodensee« und »Der alte Turmhahn« näher betrachtet. Die Idyllendichtung Mörikes beschränkt sich jedoch nicht nur auf diese, sondern ist zahlreicher, als man zunächst
annimmt. Idyllen im weiteren Sinne sind auch kürzere Gedichte
Mörikes, nicht nur die die Gattung im Titel führende »Wald-
Idylle« (»Unter die Eiche gestreckt, im jung belaubten Ge-
hölze . . .«; 1837), sondern ebenso »Die schöne Buche« oder »An
eine Lieblingsbuche meines Gartens«. Idyllische Momente und
Partien liegen außerdem einzelnen Episoden seiner Prosa zugrunde, vor allem im »Maler Nolten« und der »Mozart«-Novelle.
Das Idyllische in all diesen Spielarten als Grundzug in Mörikes
Schaffen ist das Thema der Untersuchung von Katharina Meyer-
Guyer.

Die Definition des Idyllischen ist dabei gar nicht so einfach. Die
derzeit gültige Definition geht auf eine Studie Renate Böschen-

steins zurück, wonach die Gattung einen abgegrenzten, außergeschichtlichen Raum beschreibt, in dem sich Grundformen menschlicher Existenz verwirklichen, getragen allerdings von der idealen Ordnung des Daseins, die sich als Dauer im Wechsel manifestiert. Der glückliche Fall, daß sich Mörike ausdrücklich zur Gattung äußert, ist durch seine »Classische Blumenlese« verursacht, der er eine Einführung in die Idyllen Theokrits voranstellte, dessen Gedichte Idyllen seien, worunter man nicht allein ländliche Poesien, sondern überhaupt kleine dichterische Gemälde zu verstehen habe.

Mörikes Definition also orientierte sich an der veralteten und engen, doch viel konkreteren Vorstellung von der Idylle als »Gemälde« oder »Bildchen«, in der Übersetzung von »eidyllion«, dem Diminutiv zum griechischen »eidos«. Sein Werk zeigt, wie zutiefst entgegen ihm seine durchaus zeitgenössische Auffassung kam. Immer wieder, sei es in Rezensionen oder Zuschriften, wurden aus seinem Werk Episoden hervorgehoben, die wie gemalt wirkten, oder sich ohne weiteres malen ließen. Er befand sich in diesem Punkt ganz mit der damals allgemeinen Auffassung im Einklang, die selbst Vischer in seiner »Aesthetik oder Wissenschaft des Schönen« vertrat.

Wohl aus der Tatsache, daß der Idylle keine bestimmte metrische Form zwingend vorgegeben ist, folgerte Gerhard Storz, für Mörike gäben Stimmung und Gegenstand den Ausschlag. So bestünde die »Wald-Idylle« beispielsweise aus elegischen Distichen, sein Gedicht »Bilder aus Bebenhausen« sei eigentlich eine Elegie. Die Benennung »Idylle« dagegen symbolisiere »die reine Gegenwärtigkeit des entzückt-entzückenden Augenblicks« (S. 359). Genau hier aber liegt die Gefahrenquelle, an der die Weichen für eine zutreffende Einschätzung des Dichters Mörike falsch gestellt wurden und werden.

Mörikes Verhältnis zur Idylle ist kein ausschließlich spontanes, gefühlsmäßiges. Es ist ein an den wichtigsten Entwicklungen der Gattung geschultes: ihre abendländische Bedeutung beginnt mit den griechischen Bukolikern Theokrit, Buon und Moschus, denen Mörikes Vorliebe bekanntermaßen seit je galt. Die grundlegende Richtungsänderung und zugleich Erweiterung der Gattung im 19. Jahrhundert bewirkte Johann Heinrich Voß (1751–1826), der als erster das kleinbürgerliche Alltagsleben in Hexametern pries. Mörike kannte nachweislich dessen Hauptwerk »Luise« bereits 1820. Nicht zu vergessen ist schließlich, daß Friedrich Schiller (1759–1805) in seinem Aufsatz »Über naive und sentimentalische Dichtung« für die Idylle ein Vorwärtsstreben zu höherer Harmonie und Ruhe in der Vollendung, statt sehnsuchtsvoller Rückschau forderte. Mörikes Idyllen versuchten dieses Ideal zu verwirklichen. Die Ordnung der Dinge in der poetischen Welt seiner Idyllen drücken eine »sanfte und tröstliche Utopie« aus (Barnouw, S. 169). Schöpferisch und gestaltend trägt dazu das Medium Sprache seinen Teil bei. Die Flucht in die Idylle, die Mörike vor allem aufgrund der übernommenen Gattungstradition vorgehalten wurde, verdunkelte folglich die Leistung des Dichters eher, als daß sie ihr zu Ansehen verholfen hätte. Seine Werke, vor allem die beiden größeren Idyllen sind nicht nur hauptsächlich deshalb einseitig verstanden und gewertet, sondern vor allem in ihrem Kunstcharakter verkannt worden.

Literatur

Barnouw, Dagmar: Entzückte Anschauung. München 1971.
Böschenstein-Schäfer, Renate: Idylle. Stuttgart 1977².
Meyer-Guyer, Katharina: E. M's Idyllendichtung. Zürich 1977.
Storz, Gerhard: Die Idyllen. In: Storz, E. M. Stuttgart 1967. S. 358–374.

Die »Idylle vom Bodensee«

Die »Idylle vom Bodensee«, ein »Helden-Diebsgedicht«, erzählt von zwei Streichen eines Fischers in sieben Gesängen. Beim feierabendlichen Trunk in der Wirtschaft eines kleinen Dorfes am Bodensee kommt das Gespräch auf ein altes, halbzerfallenes Kirchlein in der Nähe. Martin, »Märte«, der Fischer, wird nach dessen Geschichte gefragt, wobei ihm spontan die Idee kommt, die beiden fragenden Schneider zum Diebstahl der längst nicht mehr vorhandenen Glocke zu verleiten. Später, auf dem Heimweg, erinnert er sich mit Vergnügen, an einen Streich, den er in seiner Jugend anzettelte. Damals rächte er die Treulosigkeit eines geldgierigen Mädchens, das seinen Freund, den Fischer Tone, zugunsten eines reichen Müllers verließ. Diese Geschichte bildet den Kern der Geschichte. Erst im letzten Gesang steht wieder die Glocke im Mittelpunkt des Geschehens. Die beiden Schneider wollen die vermeintlich vergessene Glocke stehlen, finden an ihrer Stelle aber nur einen alten, löchrigen Hut und Märte.

Die poetische Idylle ist eingebettet in ein äußeres, ein landschaftliches Idyll, die Bodenseegegend. Mörike kannte sie von einer Reise zusammen mit seiner Schwester Klara. Er hatte sich dort so wohl gefühlt, daß er für kurze Zeit sogar daran dachte, für ganz zu bleiben. Die großzügige Weite, die ihm, der bisher stets in hügliger Umgebung gelebt hatte, neu und besonders schön erschien, ist wesentlich für das Gedicht und kontrastiert die Enge der Dorfgemeinschaft. Sie kann und will zwar deren Enge nicht aufheben, aber mildern. Am sichtbarsten und dichtesten wird diese ganz eigene Atmosphäre in den Eingangsversen. Doch erst der weitere Verlauf der Handlung zeigt, wie sehr sie dem Ganzen immanent ist.

Die mit Ausnahme Märtes, der Hauptfigur, typenhaft gezeichneten Personen rühren ebenfalls aus dieser Voraussetzung her, zu der sie umgekehrt auch wieder beitragen. Die »tugendhaft-beherzte« Käthe, die »eitel-eigensinnige« Gertrude, der »gutmütige« Tone oder der Müller, der »Erzdummling mit den flächsernen Haaren«, alle sind mit diesen knappen Worten dennoch hinreichend charakterisiert. Schließlich geht es allein darum, zu zeigen, daß das Idyll nur von innen her, durch den Verstoß einzelner gegen die Regeln der Gemeinschaft, bedroht sein kann. Dies ist das Verbindende, das die eingelegte Erzählung über die treulose Gertrude mit dem umrahmenden Glockendiebstahl verklammert. Dazu gehört aber auch, daß am Ende die Heile Welt wieder hergestellt werden kann und alle Mißtöne beseitigt sind. Übrig bleibt allein der Einbruch des Schwankhaft-Heiteren.

Die Dichte des Epos ist so groß, daß man – wie später beim »Stuttgarter Hutzelmännlein« – die Benutzung volkstümlicher Quellen vermutete: »So setzen sie alle, auch Heyse, wie es scheint, voraus, die Bodensee-Idylle beruhe auf Geschichtchen; da doch die gedoppelte Fabel, sowohl von der Kapelle und der Glocke als von Gertrud in ihrer Bestrafung ganz auf meine Rechnung kommt.« (Brief vom April 1854 an Theodor Storm; Seebaß I, S. 727) Die Idylle war im Sommer 1845 »bei heiterer Stimmung angefangen« (Brief vom 4. 8. 1845 an Marie Mörike; Seebaß II, S. 161) und im Lauf dieses, sowie des folgenden Jahres von drei auf schließlich sieben Gesänge erweitert worden. Wie bei den meisten Werken Mörikes lag die Wurzel weit zurück, es sei eine schon in früherer Zeit »gefaßte Lieblingsidee, deren Ausführung sehr bald auf lange unterbrochen wurde« vertraute Mörike am 20. Oktober 1845 Karl Grüneisen an (Seebaß II, S. 165). Es scheint daher nicht unwahrscheinlich, den innersten Kern bis 1828 zurückzuverfolgen und zwar zu einer »seit Jahr und Tag nicht mehr geläuteten Glocke, die« – so berichtete Mörike weiter – »wir so gern gestohlen hätten, um sie bei Nacht in den Sichern-Manns-Wald zu schleppen« (Brief vom Oktober 1828 an Friedrich Kauffmann; Seebaß I, S. 123). Die Idylle ist damit stofflich als Reminiszenz an Mörikes Jugendzeit ausgewiesen, aus der andere märchenhaft-poetische Ideen ebenfalls

erst wenige Jahre zuvor aufgearbeitet worden waren: die ›Wispeliaden‹ und das »Märchen vom Sichern Mann«.

Der Anlaß, der Mörike für seine derzeit neueste Arbeit nun die
Gattung Idylle wählen ließ, ist damit noch nicht erklärt. Meist wird
er im Privaten gesucht und man verweist auf einen Brief Mörikes an
Gretchen, seine spätere Frau, in dem es heißt: ». . . das war eine
himmlische Zeit, da es entstand, von Anfang bis Ende, die Korrek-
tur mit eingerechnet« (Brief vom 4. 4. 1847; Fischer/Krauss II, S.
150). Übersehen wird hingegen, daß sich Mörike in dieser Zeit intensiv mit Übersetzungen antiker Lyrik befaßte und er selbst seine
Idylle »ihrem Geist nach zwischen den griechischen Mustern und
Hebels erzählender Darstellungsweise« plazierte (Brief vom 2. 11.
1845 an Cotta; Seebaß II, S. 162). Unter den griechischen Mustern
ist aller Wahrscheinlichkeit nach an Homer, vor allem an Theokrit
zu denken. Dennoch ist ihm ein Muster bei weitem keine Arbeits-
anleitung, sondern ein mögliches, in verschiedenen Zügen aber
durchaus nachahmenswertes Vorgehen beim Abfassen einer literarischen Arbeit.

Johann Peter Hebel (1760–1826) beeinflußte Mörike bei der
Stoffwahl, Theokrit (etwa 300–260 v. Chr.) bei der formalen Ausführung. Von Hebel übernahm er die Idee einer ländlich-einfachen,
fast archaischen Dorfgemeinschaft als Handlungsträger; außerdem
deren Verankerung in einer geographisch-realen Gegend und
schließlich das Bemühen, den Charakter deutscher Volkstümlich-
keit im Werk abzubilden. Für die dazu notwendige Technik aber
fand Mörike bei Theokrit mehr Anregung: in der freieren Handha-
bung des Hexameters; in der Distanz zum Gegenstand, die sich in
einer feinen und leisen Ironie ausdrückt; sowie in einer zweiten
Schicht innerhalb des Werkes. Diese, die in Anspielungen, Ver-
schlüsselungen oder subtilen Kontrasten besteht, erschließt sich
nur dem gebildeteren Leser, ohne jedoch das Vergnügen des einfa-
cheren am Erzählten zu beeinträchtigen. Insgesamt übernahm Mörike von diesen Vorbildern, wie aus den übrigen bekannten Idyllen
seiner Zeit die seiner Kunst gemäßen Züge und komprimierte sie zu
seiner eigenen Schöpfung. Und dies mit vollem Erfolg.

Wie zuvor kein anderes seiner Werke brachte ihm die »Idylle
vom Bodensee« die Beachtung weiter Kreise, obwohl der Verkauf
bescheiden blieb, und öffentliche Anerkennung: in lobenden Rezensionen und ebensolchen Zuschriften, unter anderem von Ludwig Uhland (1787–1862); im durch Jakob Grimm (1785–1863) vermittelten Tiedge-Preis und in einem Brillantring, den ihm der
Kronprinz von Württemberg zum Dank für die Dedikation der
Idylle schenkte. Es scheint, daß Mörikes Dichtung, wie später die

»Mozart«-Novelle, dem momentanen Bedürfnis des Publikums entgegenkam und deshalb so positiv aufgenommen wurde. Im Fall der Idylle ist es gerade das Restaurative, das Ausklammern der Gegenwart, das heißt die »Sehnsucht nach trautumschränkter Enge (Prawer, »M. und seine Leser«; S. 21), die sie für so ganz unterschiedliche Leser anziehend machte. Denn, so Helmut Schneider, »es wird in bukolischer Sanges- und Sprachseligkeit die stumme und stumpfe Besitzwelt ausgeschlossen« (S. 33) und der »Gegensatz zu einer Welt des Besitzes, zu einer wahreren und substantielleren« (S. 32) thematisiert.

Literatur

Ausgaben
Erstdruck: »Idylle vom Bodensee oder Fischer Martin und die Glockendiebe. In sieben Gesängen. Von E. M.« Stuttgart 1846. – Zweite Auflage: E. M. Idylle vom Bodensee oder Fischer Martin. Stuttgart 1856.

Rezensionen
Adolf *Stahr*. In: Bremer Zeitung, Nr. 350, 16. 12. 1846.
Der Gesellschafter. Unterhaltungsblatt zur Karlsruher Zeitung, Nr. 15, 28. 1. 1847.

Sekundärliteratur
Grimm, Jakob: Jakob Grimm über E. M. In Dt. Dichtung 17 (1894/95), S. 104.
Steig, Reinhold: M's Verehrung im Grimmschen Kreise. In: Rb. des Schwäb. Schillervereins 16 (1911/12), S. 35–45.
Hahn, Edith: E. M's »Idylle vom Bodensee«. Monographie. Diss. Wien 1937.
Kurz, Wilhelm: M's schwankhafte Verserzählung von 1846. In: Kurz, Formen der Versepik in der Biedermeierzeit. Diss. (Masch.) Tübingen 1955. S. 320–325.
Larese, Dino: M. am Bodensee. In Thurgauer Jahrbuch 29 (1954), S. 36–41.
Schlauch, Rudolf: Vom Taubertal zum Bodensee. Begebenheiten um M's »Idylle vom Bodensee«. In: Bodensee-Hefte 10 (1959), S. 5–8.
Schneider, Helmut J.: Dingwelt und Arkadien. M's »Idylle vom Bodensee« und sein Anschluß an die bukolische Gattungstradition. In: Zeitschrift für dt. Philologie 97 (1978), Sonderheft, S. 24–51.

»Der alte Turmhahn«

Dieses zweite umfassendere Werk der Gattung Idylle trug nicht weniger als das erste zum Bekanntwerden Mörikes bei. Für den

Augenblick zwar brachte es ihm weniger an spektakulärer öffentlicher Ehrung, dafür ist »Der alte Turmhahn« dem breiten Publikum bis heute zumindest dem Namen nach ein Begriff.

Der alte Turmhahn wird anläßlich der Kirchenrenovierung durch einen neuen ersetzt. Zunächst zum »Plunder« des Schmieds geworfen, findet ihn dort der Pfarrer und nimmt ihn mit nach Hause in seine Studierstube, wo er ihm ein Plätzchen auf dem Ofen als Refugium bietet. Von dort verfolgt der Hahn das pfarrherrliche Leben, hängt eigenen Träumen nach und findet sich schließlich in sein Los, sein Alter. Alles das, von Anfang bis Ende, erfährt man aus dem Munde des Hahns. Auf diesen Sachverhalt, auf das, was dies für das Wesen der Dichtung bedeutet, wies die Redaktion des »Kunst- und Unterhaltungsblattes« mit einer Fußnote ausdrücklich hin:

»Wir machen unsere freundlichen Leser darauf aufmerksam, daß der geistreiche Herr Verfasser hier den ›Turmhahn‹ selbstredend auftreten läßt und dabei (der Hahn ist 113 Jahre alt) die Dichtersprache der ersten Dezenien des vorigen Jahrhunderts wählt, deren populäre Lieblichkeit die poetische Erzählung mit dem eigenthümlichen Reize der Vergangenheit übergießt, welcher, richtig angewandt, noch so manchen Dichter der Neuzeit zur Zierde gereichen würde.«

Gemeint ist der Knittelvers, der, nachdem er längere Zeit als poetisch minderwertig betrachtet wurde, ab dem 18. Jahrhundert plötzlich wieder zum Erzielen volkstümlich-naiver Wirkungen geeignet schien. In Mörikes Idylle traten als weitere, sogar gleichrangige Effekte hinzu, daß er das Alter des Hahns sinnfällig machen und die Erzählung insgesamt archaisieren sollte. Das Idyll als Ganzes wirkt so in sich geschlossen, daß man schwerlich auf den Gedanken käme, es sei nicht mehr oder weniger aus einem Guß. Tatsächlich ist seine Entstehung jedoch eher schleppend vonstatten gegangen.

Ursprünglich hatte Mörike nichts weiter als ein Gelegenheitsgedicht verfassen wollen. Mörike hatte 1840, noch während er Pfarrer in Cleversulzbach war, »aus Gelegenheit der Kirchthurm-Renovation« (so auch der Titel dieser ersten Fassung) den ausrangierten, alten Wetterhahn an sich genommen. In zwanzig Verse gefaßt, fügte Mörike diese »Anekdote« (Mörike) als »Musterkärtchen« einem Brief vom Frühjahr 1840 an Hartlaub bei (Hartlaub, S. 106f.). Erst 1845 fiel Mörike die fast vergessene Arbeit erneut in die Hände. Nicht ganz zufällig wohl, denn er zeigte in dieser Zeit eine große, liebevoll-wehmütige Verbundenheit mit Vergangenem. Seit September 1843 war er in Rente und seither hatten die ehedem drückenden Lasten seines Pfarramts keine Bedeutung mehr. Im Gegenteil, in der Erinnerung waren sie überlagert worden von einer Art rückwärts gewandter Utopie. Diese beschwor den patriarchalisch zufriedenen Landpfarrer als ideale Lebensform. Aus dieser Stimmung schuf Mörike Gedichte wie »Ach einmal noch im Leben«, arbeitete er an der »Idylle vom Bodensee« und griff er erneut den »Turmhahn« auf. Letzterem fügte er allerdings nur wenige Verse an, in denen er den Hahn auf den Ofen versetzte. 1852, zwölf Jahre nachdem er die »Anekdote« verfaßt hatte, griff er den Stoff zum dritten Mal auf. Der Grund, der ihn hierzu veranlaßte, war sicher die überraschend positive Resonanz auf die »Idylle vom Bodensee«. Zunächst gefaßte Pläne, ein Helden-Epos zu schreiben oder eine historische Prosa (s. Kapitel »Die Geschichte von der Silbernen Kugel«) zerschlugen sich. Bequemer war es, den »Turmhahn« zu erweitern. Für das inzwischen auf den Umfang von 293 Versen angewachsene Gedicht bildeten nun die ersten zwanzig Verse, die der Anekdote, den Erzähleingang. Mit dem Untertitel »Stilleben« (statt dem später gesetzten »Idylle«) wurde es im selben Jahr noch in Knellers »Kunst- und Unterhaltungsblatt« veröffentlicht. Zur weiteren Verbreitung trugen nicht zuletzt die sechs Holzschnitte bei, mit denen Ludwig Richter den »Turmhahn« 1855 für sein »Erbauliches und Beschauliches« (Heft 3) illustrierte.

In einem Brief an Theodor Storm schrieb Mörike, die Idylle sei »unter Sehnsucht nach dem pfarrherrlichen Leben« (vom 21. 4. 1854; Seebaß I, S. 729) ausgeführt worden. Dies wurde dahingehend fehlinterpretiert, die Zeit als Pfarrer in Cleversulzbach hätte zu den glücklichsten Phasen seines Lebens gezählt. Tatsächlich ist das, was Mörike rückwirkend verherrlichte, nur die Utopie dieser Lebensform, die er allerdings nach wie vor für erstrebenswert hielt. Obwohl oder weil er selbst gescheitert war und den Dienst quittierte. Das vom heutigen Standpunkt aus völlig Unzeitgemäße der Gattung Idylle, ihre zeitlos heile, fast arkadische Welt, verursacht den Mangel an Interpretationen. Selbst die wenigen, die sich daran versuchten, kamen zu keinem überzeugendem Ergebnis. Weder Dagmar Barnouw, deren Fazit lautete: »Die Ordnung der Dinge ist so, wie sie sein sollte, der Mensch aus dem sie ersteht, soweit er erscheint, ist so wie er sein sollte (S. 187). Noch Helmut Schneider, der dem »Turmhahn« in seinem Aufsatz zur »Bodensee«-Idylle religiösen Gehalt bescheinigte: insbesondere wegen seines Schlusses sei das Gedicht »als Abgrenzung gegen eine Welt von Besitz, Schein und Hoffahrt zu sehen, in wie scherzhafter Form auch immer; aber vor allem [sei] es Abgrenzung des Stillebens im Kunst-Innenraum, der sakrale Qualität gewinnt« (S. 43).

Literatur

Ausgaben
Erstdruck in: Kunst- und Unterhaltungsblatt für Stadt und Land I, 1852, S. 117–121 (danach Bestandteil der folgenden Auflagen seines Gedichtbandes).
Zweite (Einzel-)Veröffentlichung: E. M. Der alte Turmhahn. Mit Beilagen von Ludwig Richter. In: Richter, Beschauliches und Erbauliches. Leipzig 1855 (Nachdruck: Marbach/N 1949).

Sekundärliteratur
Barnouw, Dagmar: Der alte Turmhahn. In: Barnouw, Entzückte Anschauung. München 1971. S. 167–189.
Pültz, Wilhelm: Der Turmhahn von Cleversulzbach. Augsburg, Traunstein 1957.
Sengle, Friedrich: Annette von Droste-Hülshoff und M. Zeitgenossenschaft und Individualität der Dichter. In: Kleine Beiträge zur Droste-Forschung 3 (1974/75), S. 9–24.
Schneider, Helmut: J. – s. Literatur zur »Idylle vom Bodensee«.

Prosa nach 1840

»Die Geschichte von der silbernen Kugel«

Das fast unbekannte Fragment aus dem handschriftlichen Nachlaß gehört zu einer zweiten Phase im Schaffen Mörikes, in der er sich erneut der Bewältigung erzählender Prosa widmete. Von der Literaturwissenschaft wurde es bislang, mit Ausnahme von Maync, überhaupt nicht beachtet; wohl, weil gar zu wenig an Ausgeführtem vorhanden ist und weil Mörike selbst noch keine gültige Vorstellung über die Struktur der Handlung besaß. Für denjenigen aber, der sich intensiver mit dem Dichter Mörike und seinem Werk beschäftigen will, bietet es interessante Einblicke in seine Arbeitsweise.

Vorhanden ist nur ein Stapel beschriebener Blätter in einem Umschlag, auf den Mörike notiert hatte: »Zur Geschichte von der silbernen Kugel oder ›Der Kupferschmied von Rothenburg‹«. Man darf annehmen, letzteres habe den Arbeitstitel dargestellt, ersteres eine stark komprimierte Inhaltsangabe. Zum Inhaltlichen besaß Mörike zu diesem Zeitpunkt zwei, einander nicht ganz deckende Verlaufsskizzen, von denen er noch keine erkenntlich favorisierte. Bei beiden identisch ist der Kern: ein Schatz aus silbernem Gerät soll vor drohendem Bankrott dem »Patchen« gerettet werden. Um ganz sicher auch vor den Auswirkungen der französischen Revolution zu sein, wird der Schatz in die leichter zu versteckende silberne Kugel umgeschmolzen. Wie eine der Hauptfiguren, der Steuereinnehmer Knisel, sammelte Mörike Mineralien und Petrefakten, besaß er eine Steinkiste in der Bodenkammer. Nicht nur insofern, auch in vielen anderen Vorlieben Knisels, hatte Mörike seiner Hauptfigur, wie früher schon seinem Maler Nolten, autobiographische Züge geliehen.

Erstes Initial dieser neuen Arbeit war der für Mörike selbst erstaunliche Erfolg seiner »Idylle vom Bodensee«, von dem er nun sein neues Projekt profitieren lassen wollte. »Am liebsten würde ich jetzt abermals ein kleines Epos machen, dem aber nur ein Stoff von höherer Bedeutung, z. B. aus dem nordischen Sagenkreis, zugrunde zu legen wäre.« (Brief vom 11./12. 11. 1846 an Hartlaub; Seebaß I, S. 615). Diesen Plan legte er, soweit es das Stoffliche betraf, beiseite; er hätte sich alles neu erarbeiten müssen. Auch geht dem oben genannten Brief eine Stelle voraus, die deutlich zeigt, daß Mörike das Gefühl hatte, seine Arbeit vorab bei den Freunden, hier Hartlaub, legitimieren zu müssen: »Von Deinen Wünschen in Beziehung auf meine nächste Arbeit sprechen wir schon noch. Ich weiß ganz wohl, was Du verlangst, und sehe auch die Vorteile. Denke ich aber an ein größeres Werk, so wird mir immer bang bei der unglaublichen Beschränkung, die mein körperlicher Zustand und so weiter mir bei der Arbeit auferlegt – doch diesen Paragraphen kennst Du bis zum Überdruß.« (ebd.) So machte er stattdessen seinen neuen Lebensraum, seine derzeitigen persönlichen Vorlieben zur Grundlage des neuen Projekts, von dem man bis heute noch keinen vollständigen Abdruck aller erhaltenen Teilen besitzt. Man weiß auch nicht, wie lange er sich damit beschäftigte. Es ist aber anzunehmen, daß er es spätestens 1851 beiseite gelegt hat, da ihn ab diesem Zeitpunkt die Arbeit am »Stuttgarter Hutzelmännlein« ganz vereinnahmte.

Daß die »Geschichte von der silbernen Kugel«, die auch märchenhafte Züge – unter anderem das später im »Stuttgarter Hutzelmännlein« verwendete Motiv des menschenfangenden Stiefelziehers – enthielt, als Vorläufer der historischen oder kulturhistorischen Erzählung literaturgeschichtlich wichtig und bedeutend hätte werden können, darauf verweisen die Vorarbeiten, die Mörike aus seiner damaligen Vorliebe für Chroniken bereits unternommen hatte. Sie umfaßten Exzerpte (zu einer Pilgerfahrt ins Heilige Land, Erläuterungen zur Geschichte des Rothenburger Landes und seiner Menschen); eine Bibliographie über möglicherweise zu erwähnende Schriften des 18. Jahrhunderts, das heißt, der zu erzählenden Zeit; eine selbst zusammengestellte historische Zeittafel der französischen Revolution und, in Bezeichnung dazu, eine Zeittafel, in der er markante Daten im Leben seiner Figuren plante. Unzählige, größtenteils nur skizzierte Motive, die Mörike schriftlich festhielt, ohne noch zu wissen, ob und wie sie sich einbauen ließen, runden dieses Planungsstadium ab. Aus solch fundierter und gründlicher Vorarbeit dürfen wir folgern, daß er das von ihm kategorisch in Abrede gestellte Talent zur historischen Erzählung lange vor der »Mozart«-Novelle bereits besaß. Darum ist es zu bedauern, daß die »Geschichte von der silbernen Kugel« hinter dem neuen, anscheinend attraktiveren Plan, dem Märchen vom »Stuttgarter Hutzelmännlein« zurückstehen mußte.

Literatur

Zwei fragmentarische Prosadichtungen E. M's. Aus dem Nachlaß hg. von Harry *Maync* in Leipzig. 2. Geschichte von der silbernen Kugel oder der Kupferschmied von Rothenburg. In: Euphorion 10 (1903), S. 180–193.

Die Hand der Jezerte

»Die Hand der Jezerte«, von Mörike in einem späteren Brief (vom 11. 5. 1855 an Cotta) als »eine Art Märchen im altertümlichen Stil« (Seebaß I, S. 733) bezeichnet, fand sowohl bei der zeitgenössischen Kritik, als auch in der Literaturwissenschaft wenig Beachtung. Ungeklärt ist, ob die Ursache dafür in der Schwierigkeit einer Interpretation des Märchens zu suchen ist, oder ob das Märchen als schwierig angesehen wird, weil bei ihm eine so intensive Auseinandersetzung wie mit Mörikes übriger Prosa fehlt. Sicher ist, daß das Märchen gemeinhin nicht dem gängigen Mörike-Bild entspricht und hauptsächlich aufgrund dieser Ansicht immer mehr in den Ruf einer exotischen, sonst nicht weiter erwähnenswerten Arbeit geriet. Selbst Trümpler, der ebenfalls anprangerte, man billige ihr höchstens den Status eines merkwürdigen Fremdkörpers zu, schafft keine Abhilfe. Sein eigener, anschließender Interpretationsversuch ist viel zu konstruiert und zu abgehoben vom Text der Erzählung, als daß er zu einem besseren Verständnis führen könnte: tatsächlich ging es Mörike nicht entfernt um eine Auseinandersetzung zwischen Klassik (Jezerte) und Romantik (Naira).

Was Mörike anstrebte, war eine Variante der in seinem Werk

durchgängigen thematischen Linie, die stets wie auch in diesem Fall Liebe und Treue in all ihren Facetten aufzuspüren sich bemüht. Schon die Inhaltsangabe erbringt den Beweis: einen orientalischen König trifft der frühe Tod seiner Lieblingsfrau Jezerte hart. Er läßt ihr ein Grabmal bauen, dessen Innenraum eine ihr nachgebildete Statue schmückt. Jahre später weckt die nicht enden wollende Trauer des Königs die Eifersucht von Jezertes Nachfolgerin Naira. Sie beauftragt schließlich einen Bediensteten, ihr, die keinen Zutritt zum Grabmal hat, ein Teilstück der Statue (de facto die Hand) zu stehlen und zu ihr zu bringen. Bis hierher stimmen die drei Fassungen (ein Entwurf, zwei Veröffentlichungen) im Wesentlichen überein. Sie unterscheiden sich jedoch alle im weiteren Verlauf: in der Reaktion des Königs und in den Folgen für Naira.

Anders als bei den übrigen Erzählungen ist für diesen Text ein handschriftlicher Entwurf enthalten. Mörike legte ihn, noch als Fragment, einem Brief vom 31. 3. 1838 an Hartlaub bei. Bei dieser ersten Erwähnung des Märchens zeigte sich Mörike noch sehr vorsichtig. Er bat Hartlaub um sein Urteil, doch auch darum, das Fragment nicht weiterzuzeigen. Hartlaubs Antwort ist nicht erhalten, fiel aber, soviel scheint sicher, nicht wie von Mörike erhofft aus. Fast vierzehn Jahre ließ Mörike daraufhin sein Fragment ruhen, ehe er es erneut aufgriff und als in sich runde Erzählung abschloß.

Dem vorausgegangen war eine intensive Überarbeitung in gedanklicher und inhaltlicher Hinsicht. Der Titel des Entwurfs war »Arete« gewesen. Das Griechische Wort Arete bezeichnet in der Antike die Tugend im Sinne sittlicher Vollkommenheit. Dies läßt begründet vermuten, Mörike habe mit seiner Erzählung ursprünglich an die Mode der »allegorischen Märchen« (vgl. Sengle II, S. 960) anknüpfen wollen. Später erschien ihm der frühere Name zu symbolträchtig und zu programmatisch. Der neue sollte dies vermeiden und doch der orientalischen Sphäre des Raums entsprechen. Wichtiger ist aber noch die inhaltliche Neuorientierung des Märchens zum Christlichen hin, in Richtung der Volkslegende. Die Volkslegende will als geistliche Volkssage vorwiegend unterhalten. Sie ist daher nicht auf den christlichen Glauben beschränkt und benutzt selbst orientalische Vorlagen. Doch Mörike selbst war sich bewußt, daß gerade diese Erzählung zwischen allen Gattungen steht, unterließ daher eine ausdrückliche Bestimmung und nannte sie konsequenterweise, sogar gegenüber Hartlaub, nur eine »Art Märchen«.

1853 wurde die Erzählung in dieser Form im »Kunst- und Unterhaltungsblatt für Stadt und Land« gedruckt. Es handelte sich dabei um eine monatlich erscheinende Zeitschrift, die in guter Auf-

machung abwechselungsreiche literarische Unterhaltung und Stahl-
stich-Beilagen bot. Auch Mörikes Beitrag war ein unsignierter
Stahlstich im Zeitgeschmack vorangestellt. Trotz allem konnte
seine Erzählung die Gunst des Publikums nicht gewinnen. Eine
zweite Veröffentlichungsmöglichkeit bot sich nur im eigenen Sammelband »Vier Erzählungen«, 1856. Für diesen Abdruck überarbeitete Mörike nochmals den Schluß seiner Erzählung, betitelte sie
dann aber, völlig überraschend, noch immer als »Märchen«. Doch
gerade in dieser Fassung ist die so bezeichnete Prosa so weit wie
keine andere seiner deswegen umstrittenen Erzählungen davon entfernt, als ein Vertreter dieser Gattung anerkannt werden zu können. Im Gegenteil: der rein konstatierende Schluß nimmt der Erzählung nun auch noch das Legendenhafte, rückt sie dafür mehr in
die Nähe einer Sage. Als plausibler und sehr wahrscheinlich einziger Grund für die so offenkundig befremdende Zuschreibung zur
Gattung Märchen ist der Rahmen, »Vier Erzählungen«, anzunehmen. Um sie paritätisch mit Novellen und Märchen auszustatten,
mußte in Rücksicht auf den Charakter der übrigen Prosa »Die
Hand der Jezerte« den Märchen zugeschlagen werden.

Literatur

Ausgaben
Skizze [heute im Original verloren], s. Mc III, S. 522–524.
E. M.: Die Hand der Jezerte. Märchen. In: Kunst- und Unterhaltungsblatt
   für Stadt und Land, 2. Jg. (1853), S. 39–42. – Zweiter, veränderter Abdruck in: M., Vier Erzählungen. Stuttgart 1856. S. 161–177.

Sekundärliteratur
s. a. Gesamtdarstellungen zur Prosa im Kapitel »Grundlagen seines Schaffens«.
Mayer, Birgit: Die Hand der Jezerte. In: Mayer, E. M's Prosaerzählungen.
   Frankfurt/M, Bern, New York 1985. S. 180–201.
Trümpler, Ernst: »Die Hand der Jezerte«. Versuch einer Deutung. In: Monatsschrift für dt. Unterricht, dt. Sprache und Literatur 47 (1955), S.
   101–111.

Das »Stuttgarter Hutzelmännlein« / »Die Historie von der schönen
Lau«

»Das Stuttgarter Hutzelmännlein« ist neben »Mozart auf der Reise
nach Prag« Mörikes bekannteste Erzählung. Mit seiner Veröffentli-

chung (1853) gelang es Mörike zum ersten Mal, enge, regionale Grenzen zwar nicht zu sprengen, wohl aber auszuweiten.

Im Vorwort der Buchausgabe schrieb Mörike: »Die gegenwärtige Erzählung war schon längst, als Seitenstück zu einer ähnlichen, entworfen und blieb unausgeführt, bis dem Verfasser neuerdings die Skizze wieder in die Hände fiel und ihn zur guten Stunde an eine fast vergessene kleine Schuld erinnerte [. . .].« Um keine Fragen aufkommen zu lassen, stellte er seine eigene Anspielung in einer Fußnote unmißverständlich klar: gemeint ist die 1836 erstmalig veröffentlichte Erzählung »Der Schatz«. Dies ergibt eine Inkubationszeit von rund zwanzig Jahren, gerechnet von den Anfängen des »Schatz« bis zur Veröffentlichung des »Stuttgarter Hutzelmännleins«. 1851 hatte er sich erneut des alten Plans zu »einer heiteren Erzählung in Prosa« besonnen (Brief vom 1. 7. 1851 an Mährlen; Fischer/Krauss II, S. 215). Im Sommer 1852 war sie bereits weit fortgeschritten. Im Spätherbst desselben Jahres schien der Abschluß der Arbeit bevorzustehen, um sich dann doch zu verzögern. Erst Mitte 1853 war der Druck des Märchens abgeschlossen.

Wie es bei Mörikes Verwandten, Freunden und Bekannten aufgenommen wurde, ist weitgehend unbekannt. Ausführliche Äußerungen liegen nur von Vischer und Strauß vor, deren Meinung allerdings nicht repräsentativ gewesen sein dürfte. Strauß hatte von allem Anfang an weniger das Märchen selbst, als vielmehr Mörikes nach langer Pause erneutes öffentliches Auftreten gelobt. In den Briefen Vischers und Strauß' untereinander ist der Tenor auffallend negativ. Sie tadelten den Mangel an Einheit – es sei »ein wahres Mäusnest von Fabeleien, die durcheinanderkrabbeln, ohne Plan, ohne Schürzung und Lösung eines Knotens« (Brief vom 25. 6. 1853 Strauß' an Vischer; Fischer/Krauss II, S. 48f.) – auch würden weder die »Sache«, noch die »Charaktere« (ebd.) ausreichend gezeichnet. Insgesamt aber ist die Ablehnung durch die beiden sicher zu kraß. Zwar ist das »Stuttgarter Hutzelmännlein« alles andere als eine stringente Erzählung, trotzdem hängen alle »Fabeleien« in irgendeiner Weise mit der Fabel zusammen, zeigen die Hauptpersonen durchgehend dem Leser immer wieder den roten Faden, steht das Ende in Korrelation zum Anfang.

Der Stuttgarter Schustergeselle Seppe beschließt auf Wanderschaft zu gehen. Am Tag vor seiner Abreise erscheint ihm unverhofft der Schusterkobold, das Hutzelmännlein. Es spricht ihn an, gibt ihm zwei Paar Glücksschuhe und ein nachwachsendes Laiblein Hutzelbrot. Das eine Paar Glücksschuhe soll er selbst tragen, das andere irgendwo abstellen; »vielleicht, daß [ihm sein] Glück nach Jahr und Tag einmal auf Füßen [begegne]« (Mc III, S. 117). Dafür solle er ihm, wenn er's »von ungefähr« (ebd.) finde, das »Klötzlein Blei« mitbringen, ein Lot, in dem ein unsichtbar machender Krakenzahn steckt. Seppes Abenteuer beginnen damit, daß er den einen Schuh von einem Paar mit einem vom andern verwechselt, sein Glück daher bis zum doch noch guten Ende nie vollkommen ist. Seine Wanderung bis zu diesem Tag, ebenso wie die Erlebnisse des Mädchens, die das andere Paar Schuhe findet, bilden für Mörike ausreichend Gelegenheit, seiner Fabulierlaune freien Lauf zu lassen. Die längste Abschweifung ist sicher die »Historie von der schönen Lau«, aber auch die übrigen Geschichten dienen hauptsächlich dazu, Mörikes Freude am Erzählen zu befriedigen, so die Passage vom Diebe fangenden Stiefelknecht oder das Motiv vom unsichtbar machenden Krakenzahn. Am Ende aber schließt sich der Kreis: die Glückskinder treffen sich, von der magischen Kraft ihrer Zauberschuhe zueinander angezogen, auf einem Trapezseil und verloben sich.

Die Figur des Pechschwitzers; das Liebespaar, das sich auf dem Seil die Heirat verspricht; die Glücksschuhe, dies alles hatte bereits die grundlegende Skizze von 1838 enthalten. Dazu waren Gedanken und Ideen des Freundes Hermann Kurz gekommen, die dieser dem Entwurf beisteuerte. Die nicht zerreißbaren Schuhe, die verwechselt werden, und nun »verkehrtes Glück« entstehen lassen; das Schicksal des Mädchens, dem zuhause ähnliches widerfährt wie dem wandernden Helden; dessen weitere Liebschaft, aus der auf die »tollste Weise« nichts wird; den »Pechschwitzer ex machina« (vgl. die Briefe vom 6. und 7. 11. 1838 an Mörike; Kurz, S. 72–74).

Solche Vielfalt an Episoden, insbesondere deren Charakter, erregte in ganz anderer Hinsicht das Mißfallen weiterer Dichterkollegen. Sowohl Ludwig Uhland als auch Theodor Storm waren überzeugt, Mörikes Verdienst an seiner Erzählung beschränke sich allein darauf, verschiedene vorhandene Überlieferungen nicht ungeschickt in einen neuen Zusammenhang gestellt zu haben. Mörike antwortete auf diese Vorwürfe spät, ausweichend. Nicht nur daß er Parallelen seiner Episoden zu verwandten in Büchern enger Freunde verschwieg, vor allem die Chronik, auf die sich Uhland bezog, und die einen unsichtbar machenden Stein mit dem Blautopf in Verbindung brachte, wollte er nicht kennen. Schließlich ließ man die Quellenfrage auf sich beruhen.

Der schwer zu fassende Charakter des Märchens bot so von allem Anfang an bis heute ausreichend Diskussionsstoff. Dies, obwohl Mörike kein Hehl aus dem eigenen Beweggrund machte, aus dem heraus er das Märchen geschrieben hatte (s. o.): am »Schatz« war das kritisiert worden, worauf er sich selbst etwas zugute tat,

»daß das Wunderbare nur scheinbar ist und bloßes Spiel« (Brief vom 25. 9. 1840 an Hartlaub; Seebaß I, S. 486). Man hatte also von ihm verlangt, Wunder als in dieser Welt Alltägliches und nicht Erstaunliches zuzulassen. Daher wollte er nun dieses, aus seiner Sicht primitivere Erzählen zum Gegenstand der neuen Arbeit machen. Und wieder wurde er nicht verstanden. Nun bescheinigte man ihm nicht das Märchen, sondern – allein aufgrund des schwäbischen Dialekts wie der schwäbischen Landschaft – ein »Volkssittengemälde« (Rezension Fischer) und »wahres Volksbuch« (ebd.), als deren Folge die Frage nach möglichen Plagiaten entstand. Wolfgang Menzel allein bestätigte ihm in seiner Rezension ein Märchen geschrieben zu haben, das er zudem in die Nähe der besten Arbeiten dieser Gattung von Musäus und Tieck rückte. Heute steht, sofern es sich um monographische Untersuchungen des »Stuttgarter Hutzelmännlein« handelt, die Frage im Mittelpunkt, ob seine Nähe eher beim Volks- oder Kunstmärchen liege. So bei Herwig Landmann, der zum Schluß folgert, daß Stilgesetz und Struktur in dieser Dichtung »andere als die im Volksmärchen« wirksamen seien (S. 58). Es gäbe »eine Reihe von bedeutenderen Kunstmärchen, aber wenige, vielleicht keins, in solcher Nähe zum Volksmärchen, wie sie Mörikes Dichtung trotz aller Gegensätze erreicht hat« (S. 45). Zu ähnlicher, ebenso positiver Einschätzung gelangte auch Wolfgang Popp, für den diese Prosa »über die formimmanente Welt des Märchens hinaus Dichtung über Dichtung« (S. 320) verkörpert.

Zwanzig Jahre nach der Erstausgabe des Märchens vom »Stuttgarter Hutzelmännlein« erschien 1873 als eigenständige Erzählung »Die Historie von der schönen Lau«. Die Lau, eine Wasserfrau, muß fünfmal von Herzen lachen, um gesunde, lebende Kinder gebären und aus der Verbannung in den Blautopf bei Blaubeuren auf der Schwäbischen Alb ans Schwarze Meer zu ihrem Mann, einem alten Donaunix, zurückkehren zu können. Dies gelingt ihr in menschlicher Gesellschaft, in die sie durch eine Wirtsfamilie Eingang findet.

Die Erzählung, die im Märchen selbst dazu dient, einen Teil der wunderbaren Geschehnisse zu beheimaten und zugleich einen Teil der Handlung zu motivieren, war ausnahmsweise nicht auf Betreiben Mörikes verselbständigt worden. »Die Vermischung des Feenhaften und Purzligen [sei] ganz ausgezeichnet lustig« (Brief vom 27. 4. 1867; Schwind I, S. 70) hatte der Maler Schwind an Mörike gleich nach einer ersten Lektüre des Märchens geschrieben. Die Episoden um die Wasserfrau reizten ihn als Künstler und spontan entschloß er sich, diese zu zeichnen. Er erklärte sich sogar bereit, selbst Schritte auf eine Veröffentlichung hin zu unternehmen. Bereits im Juni 1868 besaß Mörike alle sieben Zeichnungen, ein Verleger hatte sich dagegen noch nicht gefunden. Erst nach Schwinds Tod, 1872, gelang es, sowohl den Verleger der Göschenen Verlagshandlung zu interessieren, als auch Julius Naue, einen Schüler Schwinds, für das Übertragen der Zeichnungen in Radierungen zu gewinnen. Im August 1872 waren alle Wege geebnet. Allerdings hatte Mörike aufs eigene Honorar verzichten müssen. Auch sollte nicht, wie ursprünglich vorgesehen, das ganze Märchen, sondern nur die Historie dieser Prachtausgabe als Text beigegeben werden. Die Ausführung der Buchausgabe fand jedoch den vollen Beifall des Dichters. Anfang Oktober 1872 war sie auf dem Markt, wurde jedoch nicht vom Publikum angenommen. Ein Teil der Zeichnungen sei zu anstößig, als daß man die Prachtausgabe Frauen und Kindern schenken dürfe. Beachtung und Anerkennung blieben daher auch dieses Mal hinter dem Erhofften zurück.

Literatur

Ausgaben

Erstdruck: »Das Stuttgarter Hutzelmännlein. Märchen von E. M.« Stuttgart 1853. – Zweite, wenig veränderte Auflage, Stuttgart 1855.

Illustrierte Teilausgabe: Die Historie von der schönen Lau. Von E. M. Mit sieben Umrissen von Moritz von Schwind; in Kupfer radiert von Julius Naue. Stuttgart 1873.

Nachdrucke (u. a.): Das Stuttgarter Hutzelmännlein. Die Scherenschnitte von Luise von Breitschwert zu. M's Stuttgarter Hutzelmännlein. Mit dem Text des Märchens hg. von Otto Güntter. Stuttgart, Berlin 1932. – Die Historie von der schönen Lau. Mit sieben Zeichnungen von Moritz von Schwind. Leipzig 1975[5]. – Die Historie von der schönen Lau. (Zeichnungen) Moritz von Schwind. (Nachwort) Dietlind Vetter. Tübingen 1976.

Rezensionen

Johann G. *Fischer*. In: Schwäbische Kronik, Nr. 149, 26. 6. 1853.

Wolfgang *Menzel*. In: Morgenblatt für gebildete Leser, Literaturblatt, Nr. 53, 2. 7. 1853.

Robert *Prutz*. In: Deutsches Museum. Zeitschrift für Literatur, Kunst und öffentliches Leben, H. 2, März 1853.

Friedrich *Notter*. In: Beilage zur Allgemeinen Zeitung, Nr. 207, 26. 7. 1853.

[Verfasser unbekannt]. In: Salon. Unterhaltungsblatt zur Frauenzeitung, Nr. 19, 1. 10. 1853.

Karl *Gutzkow*. In: Unterhaltungen am häuslichen Herd, Nr. 46, 1. Jg. 1853.

Rudolf *Gottschall*. In: Blätter für literarische Unterhaltung, Nr. 11, 9. 3. 1854.

Sekundärliteratur
Landmann, Herwig: M's Märchen »Das Stuttgarter Hutzelmännlein« im Verhältnis zum Volksmärchen. Diss. Berlin 1961.
Popp, Wolfgang: E. M's »Stuttgarter Hutzelmännlein« zwischen Volksmärchen und Kunstmärchen. In: Wirkendes Wort 20 (1970), S. 313–320.
Storz, Gerhard: M's »Stuttgarter Hutzelmännlein«. In: Storz, Figuren und Prospekte. Stuttgart 1963 (Wiederabdruck von 1951). S. 133–146.
Tabbert, Rainbert: M's Lob der Alb. In: Schwäbische Heimat 27 (1976), S. 199–201.

»Mozart auf der Reise nach Prag«

Im »Morgenblatt für gebildete Leser« erschien 1855 in den Monaten Juli und August Mörikes Novelle »Mozart auf der Reise nach Prag« als Vorabdruck. Fast gleichzeitig, allerdings vordatiert auf 1856 – Mozarts hundertstem Geburtsjahr – wurde die Buchausgabe der Erzählung veröffentlicht. Ihr folgte 1856 eine zweite, unveränderte Ausgabe.

»Meine Aufgabe bei dieser Erzählung war, ein kleines Charaktergemälde Mozarts (das erste seiner Art, soviel ich weiß) aufzustellen, wobei mit Zugrundelegung frei erfundener Situationen, vorzüglich die heitere Seite zu lebendiger, konzentrierter Anschauung gebracht werden sollte.« (Brief vom 6. 5. 1855 an Cotta; Seebaß I, S. 730)

Sein ganzes Anliegen gab Mörike damit noch nicht preis. Selbst seinem Freund Hartlaub teilte er es nur verschlüsselt im Bericht über eine seiner Lesungen im privaten Kreis mit: »Er sei« soll einer der Hörer, Karl Wolff, Rektor am Stuttgarter Katharinenstift, gesagt haben, »ungeachtet der vorherrschenden Heiterkeit, oder vielmehr durch die Art derselben, aus einer wehmütigen Rührung gar nicht mehr herausgekommen«. Und Mörike selbst fuhr fort: »Das ist es aber, was ich eigentlich bezweckte« (Brief vom Frühjahr 1855 an Hartlaub; Fischer/Krauss II, S. 249).

Heiterkeit und Schwermut – unter diesen beiden Prämissen also steht der Inhalt der Novelle. Mörike schildert darin vierundzwanzig rein fiktive, doch so durchaus denkbare Stunden aus einer Reise Mozarts von Prag nach Wien, die 1789 tatsächlich stattgefunden hatte, da der Komponist dort die Uraufführung seiner Oper »Don Giovanni« vorbereiten und leiten sollte.

Mörikes eigentliche Erzählung beginnt mit der ersten Rast auf dieser Reise. Vor dem Mittagessen in einem Dorfgasthaus nutzt Mozart die Gelegenheit zu einem Spaziergang im der Öffentlichkeit zugänglichen Garten des dort ansässigen Grafen. Der Anblick eines Orangenbaumes weckt Reminiszenzen an ein Erlebnis in seiner Jugend, in dem solche Früchte den ästhetischen Reiz einer Aufführung ausmachten. Vergangenheit und Gegenwart wirken nun zusammen, bündeln sich zur aktuellen musikalischen Inspiration. Unbewußt hat er unterdessen eine Frucht gepflückt und zerschnitten, wobei er vom Gärtner des Grafen ertappt wird: die Früchte seien gezählt, der Baum selbst sei gerade heute außerdem eines der Verlobungsgeschenke für Eugenie, die Nichte des Grafen. Ihr schönstes Verlobungsgeschenk wird jedoch die Anwesenheit des Komponisten und seiner Frau an ihrem Festtag, da beide nach Mozarts Entschuldigung zum Mitfeiern eingeladen werden. Erst am nächsten Morgen setzen sie ihre Reise fort, vom Grafen noch mit einer prächtigen Kutsche beschenkt. Seinen Gastgebern, besonders Eugenie, bleibt die Erinnerung an den geselligen, unterhaltsamen Komponisten zurück, die aber die Vorahnung seines frühen Todes überschattet.

Mit der Novelle »Mozart auf der Reise nach Prag«, mit ihrem Thema Todesahnung untrennbar verbunden, ist das spätestens 1852 entstandene, im selben Jahr veröffentlichte Gedicht »Denk' es, o Seele!« (»Ein Tännlein grünet wo . . .«). Wann Mörike den Entschluß faßte, die Novelle lyrisch ausklingen zu lassen, ist unbekannt; dokumentiert ist er erst in einem Brief vom Mai 1855 an Hartlaub, in dem es eigentlich um die dritte Auflage von Mörikes Lyrikband ging: mit der erklärenden Klammer »aus der Novelle« wurde »Denk' es o Seele« unter den neu hereinzunehmenden Gedichten aufgeführt (Hartlaub, S. 350). In der Novelle selbst gab er es als »Abschrift eines böhmischen Volksliedchens« (Mc III, S. 275) aus. Aber statt sich nun Heiterkeit und Schwermut durchdrangen, wie Mörike es wünschte, beherrschte das Heitere weiterhin das Wesen der Novelle. Mörike entschloß sich daher (vgl. Brief vom 6. 5. 1855 an Cotta), die Schlußpartie ein weiteres Mal neu zu gestalten und zwar durch eine erweiterte Fassung. In ihr verdeutlichte er seine grundlegende Idee, zusätzlich zum Gedicht, in einem vom (anonym) auktorialen Erzähler berichteten und kommentierten, szenischen Geschehen: Eugenie ist die einzige der Festgesellschaft, der der nahe Tod des Komponisten im Laufe des vorangegangenen Abends als Ahnung und nun, nach seiner Abreise und dem zufällig wiedergefundenen »Volksliedchen« als bösem Omen, unabwendbar bewußt wird: »Es ward ihr so gewiß, so ganz gewiß, daß dieser Mann sich schnell und unaufhaltsam in seiner eigenen Glut verzehre, daß er nur eine flüchtige Erscheinung auf der Erde sein könne, weil sie den Überfluß, den er verströmen würde, in Wahrheit nicht ertrüge.« (Mc III, S. 275)

Die Bedeutung des Schloßbereiches für die Erzählung untersuchte Hanne Holesovsky: sein geistiger Raum bewirke eine »arkadische Atmosphäre« (S. 118), die Funktion seiner Gesligkeit sei es, »das persönliche Element diese Künstlertums in aller seiner Komplexität erscheinen zu lassen und es so menschlich zugänglich zu machen« (S. 191). Das Schloß selbst habe, so Hugo Rokyta, sein Vorbild im neuen Schloß des Grafen Buquoy bei Gratzen und soll von Mörike »mit der Präzision eines Dehio« (S. 144) beschrieben sein. Ob Mörike es nun kannte oder nicht, ist für die Erzählung unwesentlich.

Wichtig ist dagegen seine Vorliebe für die Musik Mozarts, die bis in seine frühe Stiftszeit zurückreicht. Das Schlüsselerlebnis war eine »Don Giovanni«-Aufführung in Stuttgart, die er 1824 zusammen mit den Geschwistern Luise und August, sowie den Freunden Ludwig Bauer und Hermann Hardegg besuchte. Obwohl sich ihm im Nachhinein mit dieser Oper der nur wenige Tage spätere Tod Augusts verband, blieb Mörike von der Begeisterung, in die ihn dieser Opernabend versetzt hatte, eine lebenslange Vorliebe für Mozart. Er muß sogar als frühestes Initial zur erst 30 Jahre danach entstandene Novelle »Mozart auf der Reise nach Prag« angesehen werden.

Man darf weiterhin davon ausgehen, daß Mörike sich im Laufe der Zeit immer wieder mit der Person des Komponisten auseinandersetzte, Zeitschriften, Aufsätze und Bücher über ihn mit großem Interesse las.

Am 7. April 1847 erschien in der »Schwäbischen Kronik« die Ankündigung einer neuen Mozart-Biographie: »Mozarts Leben nebst einer Uebersicht der allgemeinen Geschichte der Musik und einer Analyse der Hauptwerke Mozarts von Alexander Oulibicheff, Ehrenmitglied der Philharmonischen Gesellschaft in St. Petersburg. Für deutsche Leser bearbeitet von A. Schraishuon.« Umgehend wurde sie Gegenstand des Briefwechsels mit Hartlaub, der Mörike dazu schrieb: ». . . ein Fragment Dichtung, wie Du einmal im Sinn hattest, würde tausendmal befriedigender sein« (Brief vom 8. 6. 1847; erstmals bei B. Mayer [1985], S. 245). Mörike ging demnach schon 1847 bereits längere Zeit mit dem Gedanken um, eine Erzählung über Mozart zu schreiben, keine sachliche und vollständige Biographie. Später pflegte er Wert auf die Feststellung zu legen, seine Novelle sei »im Ganzen heiter, der Stoff dazu erfunden, doch der Mensch wie [er] hoffe, wahr, und nichts von dem darin, was unsere Geistreichen überall zuerst suchen, obs ihnen gleich selbst nur halb schmeckt« (Brief vom 21. 5. 1855 an Karl Mayer; Fischer /Krauss II, S. 253f.). Und doch war Oulibicheffs Biographie für Mörike zur rechten Zeit erschienen. Als Bestätigung eigener Ansichten und als Anreiz zu einer Erzählung über dieses Thema.

Beleg dafür ist der Erstabdruck der Novelle im »Morgenblatt für gebildete Leser«, genauer gesagt, dessen vier Folgen, denen fünf Leitsprüche (davon zwei in Form von komprimierten Zitaten aus Oulibicheff) vorangestellt waren. Bis heute ging die Mörike-Forschung nur von einem Motto aus. Die Ursache mag darin liegen, daß man sich generell auf die unrichtige Feststellung Mayncs bezog, ohne wie Birgit Mayer in das Original, die betreffenden vier Nummern zu sehen. Tatsächlich handelt es sich nicht um einen, der gesamten Erzählung gewidmeten, sie also insgesamt repräsentierenden und interpretierenden Leitspruch. Es gibt einen solchen für jede der vier Folgen, für die dritte sogar zwei. Der eine genannte ist also nicht, wie bisher irrtümlich angenommen, der gesamten Novelle zugedacht, sondern ausschließlich ihrem ersten Erzählabschnitt. Dem zweiten ist eine Strophe aus einem Gelegenheitsgedicht Goethes, dem »Tischlied zu Zelter's siebzigstem Geburtstag« zugeordnet, dem dritten Verse Shakespeares aus dem »Sommernachtstraum« und ein Spruch Horaz'; beim vierten schließt sich der Kreis mit einem weiteren Zitat aus Oulibicheff. Die Untersuchung konnte zeigen, daß die Leitsprüche dem Wesen nach Überschriften sind, die dem Gang der Erzählung entsprechen. Wie die Novelle, beginnt und schließt sich der Bogen der Leitsprüche bei der Person Mozarts, bei Zitaten aus Oulibicheffs Biographie, also bei der historischen Gestalt des Komponisten. Dazwischen liegt die Fiktion Mörikes, für deren Leitsprüche andere Dichter zitiert werden. Auf diese Weise konnte es Mörike gelingen, die Anekdoten und Episoden, die von ihm erdacht worden waren, so darzustellen, als könnten sie sich in Mozarts wirklichem Leben gerade so abgespielt haben. Darum konnte er den Stoff der Novelle erfunden«, deren Hauptperson jedoch als »wahr« (s. o.) bezeichnen.

Von der Stoffwahl bis zum Druck war der Weg weit. Erst 1852 besaß Mörike über Art und Umfang des lang schon geplanten Werkes genauere Vorstellungen. Doch zwischen die Ausarbeitung der Erzählung schoben sich immer wieder Phasen, in denen Mörike die Arbeit ganz beiseite legte. Im Juli 1855 konnte Mörike endlich Hartlaub mitteilen, daß er das Manuskript fertig habe:

»Du und andere haben bedauert, daß ich aus der Novelle so vieles weggeworfen habe, und doch sehe ich voraus, Du wirst sie, wie sie nun ist, nicht anders und nicht größer wollen. Uebrigens ist es ein Glück und nur der starken Anziehungskraft des Gegenstandes zuzuschreiben, daß man dieser kleinen Arbeit die öftern und längeren Unterbrechungen, während welcher sie mehrmals beinahe schon aufgegeben war, nicht aufspürt.« (Brief vom 19. 6. 1855; Fischer/Krauss II, S. 253f.)

Der Brief weist mehr als deutlich, wie oben bereits die Leitsprüche, darauf hin, daß Mörike seine Erzählung bewußt komponierte, daß der Aufbau der Novelle geplant und überlegt ist und keineswegs ein weiteres Beispiel seiner zügellosen Fabulierlust. Solches muß aus gutem Grund betont werden. Die zeitgenössische Öffentlichkeit reagierte zwar begeistert (dem Erstdruck folgte ja bereits wenige Wochen später eine zweite Auflage). Zweifel meldete die germanistische Forschung an. Die Literatur zur Mozart-Novelle ist zahlreich. Und fast alle Interpretationen beschäftigten sich, teilweise unter den abenteuerlichsten Konstruktionen, mit ihrem Aufbau.

Ein Teil der Mörike-Forschung nahm an der Häufung von Einschüben und Episoden Anstoß und sprach der Novelle infolgedessen jegliche Komposition ab. Karl Adrian und Harry Maync empfanden die breite Ausgestaltung vieler Episoden als störend. Friedrich Gundolf brachte zuerst die »Arabeske« in Zusammenhang mit der Novelle, die er nach der Theorie Friedrich Schlegels charakterisiert als »die Verknüpfung von Einzelerscheinungen zu einer unendlichen Reihe als freies Spiel der Phantasie, ohne Beziehung auf ein Zentrum« (S. 63). Hermann Pongs sieht, wie später Benno von Wiese, den Mittelpunkt der Novelle, um den sich alle weiteren Details wie Arabesken ranken, im »Orangen-Frevel«. Für beide ist somit trotz fehlendem, sukzessivem Aufbau Aufgabe und Funktion der Novelle gewährleistet.

Während so ein geschlossener Aufbau der Novelle mehr oder weniger explizit bestritten wurde, gab es andere Interpreten, die im gleichen Zeitraum diesen bejahten und nachzuweisen versuchten. Bernhard Seuffert war der erste, der sein Urteil auch begründete. Hauptthema sei Mozart, sein Leben und Schaffen: »und so wird alles, was der Dichter zur Charakteristik Mozarts aussagt, in Handlungen umgesetzt, deren lose Reihe also zweckmäßig gewählt und gebunden ist« (S. 36). Franz H. Mautner dagegen sieht eine Harmonie im Aufbau von Anfang bis Ende. Inhaltlich sah er sich bestätigt in der Schilderung der An- und Abfahrt des Komponisten, stimmungsmäßig in der Präsenz des Kontrastes von Heiterkeit und Schwermut, und dies innerhalb einzelner Erzählabschnitte ebenso wie im Ganzen. Eine andere Gruppe von Arbeiten suchte daneben den Zugang zur Novelle über die Musik, da schon Mörikes Freund Hermann Kurz, sie als »eine gedichtete Symphonie«, bezeichnet hatte (vgl. Vorwort zur Novelle: Deutscher Novellenschatz IV,

München o. J., S. 267). Diese Gedanken griff vor allem Max Ittenbach auf. Ausführlich erklärte er, wie verwandt dem Wesen und
dem Aufbau der Symphonie Mörikes Novelle sei. Am stärksten
aber nahm Joachim Müller die Gesetze der Musik für die Novelle
in Anspruch, die »als Ganzes eine Mozartsche Musik« (S. 11) geworden sei. Aus der von allen Interpreten unbestrittenen Tatsache, daß Dreh- und Angelpunkt der Novelle Mozart sei, schloß
Karl Konrad Polheim, alle Schwierigkeiten seiner Vorgänger be-
ruhten in ihrem Irrtum, von der herkömmlichen »Handlungsno-
velle« auszugehen. Als Alternative erdachte er das Konstrukt »Fi-
gurennovelle« (S. 68): es gehe in ihr um die Figur, hier Mozart.
Einschaltungen seien daher ebenso wichtig wie die Handlung; sie
beleuchteten den Helden nicht anders als dies die Handlung
könne. Während Benno von Wiese die Existenz einer »Figurenno-
velle« rundheraus bestritt, griff Gerhard Storz den Terminus zu-
stimmend erneut auf und schrieb dazu, »in seinem Brief an Cotta
[habe] Mörike seine Novelle als ›Charaktergemälde‹ [bezeichnet]
und diese Kennzeichnung, vor allem aber die Novelle selbst, [gä-
ben] Polheim recht« (S. 393). Insofern deckt sich mit ihnen Volkmar Sanders Ansicht, der darüberhinaus, zurecht, in der Person
Mozarts »eine Darstellung der Gefährdung des Künstlers [er-
blickte], die eigentlich den beschränkten Rahmen der Novelle
sprengt« (S. 123).

Doch der Gedanke an die alles überragende und durchdringende
Bedeutung der Musik setzt sich demgegenüber immer wieder
durch, wird zuletzt sogar um fast jeden Preis innerhalb einzelner
Textpartien gesucht: Hartmut Kaiser notierte in seinen »Betrachtungen zu den neapolitanischen Wasserspielen«, als »strukturbil-
dendes wie strukturbestimmendes Prinzip« liege ihnen die Sona-
tenform zugrunde« (S. 373). Mörikes genialer Einfall sei es, Mozart, den Erzähler, nach ähnlichen Gestaltungsgesetzen agieren zu
lassen, wie Mozart, den Komponisten. Gerhard von Graevenitz
verstieg sich 1981 gar zu dem Versuch, Wagner-Kritik in Mörikes
Novelle dingfest machen zu wollen, auch wenn Mörike »nur durch
einen einzigen Satz die polemische Richtung seiner Novelle zu erkennen« (S. 259) gäbe.

Die Ergebnisse langjähriger Beschäftigung mit Mörikes Novelle
verdienen insgesamt Achtung. Viele Interpreten haben zum Teil
nur durch einzelne Beobachtungen zum Verständnis des Textes
beigetragen oder überhaupt erst zum Umgang mit Mörike angeregt. Andere haben sich waghalsig verklettert, vorschnell verurteilt
oder abweichende Vorschläge zumindest nicht entsprechend gelten
lassen. Für Mörike selbst war die Musik in seiner Novelle wichtig,

allerdings nicht als das grundlegende Gestaltungselement. Sicher hätte er sonst in irgendeinem Brief darauf Bezug genommen.

Seine Leitprinzipien waren die Balance zwischen Heiterkeit und Schwermut zu finden und insbesondere dem Menschen Mozart in einem »Charaktergemälde« gerecht zu werden. Dem aufmerksamen Leser des »Morgenblatts« verhalfen die Leitsprüche zu dieser Einsicht, deren Kenntnis auch zahlreichen Interpreten, die an einen systematischen Aufbau der Novelle entweder nicht glauben wollten oder sich ihn erst konstruierten, nicht wenig genützt hätten. Wenig bekannt ist ebenfalls, wie eng Mörike, allerdings in ganz anderer Hinsicht, Musik in seine Novelle einbeziehen wollte. Ursprünglich hatte ihm nämlich eine Art synästhetisches Gesamtkunstwerk vorgeschwebt, in das er, neben schönem Druck des Textes, je ein Portrait Mozarts und seiner Frau stellen wollte und, als besonderer Glanzpunkt des Ganzen, eine Komposition im Stile Mozarts:

Sie »ist durch eine Stelle in der Erzählung bedingt, wo von einer in Wirklichkeit nicht vorhandenen Komposition des Meisters die Rede ist, die nun dem Leser, ohne die Absicht einer Mystifikation, sondern im Sinne der ganzen Erfindung, gleichfalls mitgeteilt werden soll, indem der betreffende Text von irgendeinem tüchtigen Kompositeur [. . .] gesetzt wird; womit sich zugleich ein Handschriftenfaksimile verbinden ließe«. (Brief vom 6. 5. 1855 an Cotta; Seebaß I, S. 731)

Die Frage um Für und Wider erregte die Gemüter im Freundeskreis. Sie erledigte sich von selbst, da die von Mörike allein als dazu fähigen Komponisten betrachteten Freunde Faißt, Hetsch und Kauffmann einhellig ablehnten. Dem Erfolg der Novelle hätte es sowieso eher geschadet als genützt.

Literatur

Ausgaben
Erstdruck: »Mozart auf der Reise nach Prag. Novelle von E. M.« In: Morgenblatt für gebildete Stände, Nr. 30–33, 22./29. 7. und 5./12. 8. 1855.
Erste Buchausgabe: Mozart auf der Reise nach Prag. Novelle von E. M. Stuttgart, Augsburg 1856 [tatsächlich erschienen im Herbst 1855, wegen des »Mozart-Jahrs« 1856 jedoch vordatiert]. Zweiter, unveränderter Abdruck, ebenfalls 1856.

Rezensionen
(Von allen Rezensionen zu dieser Novelle ist nur der Verfasser der ersten, Faber, namentlich bekannt.)
Johann Fr. *Faber*. In: Beilage der Allgemeinen Zeitung, Nr. 337, 3. 12. 1855.

Schwäbische Kronik, Nr. 298, 16. 12. 1855.
Salon. Unterhaltungsblatt zur Frauenzeitung, Nr. 4, 15. 2. 1856.
Süddeutsche Blätter für Kunst, Literatur und Wissenschaft, Nr. 20, 1857.

Sekundärliteratur

Benn, M. B.: Comments of an Advocatus Diaboli on M's »Mozart auf
    der Reise nach Prag«. In: German Life and Letters 25 (1971/72), S.
    368–376.
Farell, Ralph B.: »Mozart auf der Reise nach Prag«. London 1960.
Field, G. Wallis: Silver and Oranges. Notes on M's Mozart-»Novelle«. In:
    Seminar 14 (1978), S. 243–254.
Graevenitz, Gerhart v.: Don Juan oder die Liebe zur Hausmusik. Wagner-
    Kritik in E. M's Erzählung »Mozart auf der Reise nach Prag«. In: Neo-
    philologus 65 (181), S. 247–262.
Heise, Ursula: Die Behandlung von M's »Mozart auf der Reise nach Prag«
    in der Schule. In: Der Deutschunterricht 5 (1953), S. 39–51.
Hoffmann, Gerd: Mozart bei deutschen Dichtern. Zum 200. Geburtstag
    von Wolfgang Amadeus Mozart am 27. Januar 1956. In: Aufbau 12
    (1956), S. 81–88.
Holesovsky, Hanne: Der Bereich des Schlosses in M's Mozartnovelle. In:
    The German Quarterly 46 (1973), S. 185–201.
Immerwahr, Raymond: Narrative and »musical« structure in »Mozart auf
    der Reise nach Prag«. In: Immerwahr, Studies in Germanic Languages
    and Literatures. St. Louis 1963. S. 103–120.
Ders.: Apokalyptische Posaunen. Die Entstehungsgeschichte von M's
    »Mozart auf der Reise nach Prag«, 1955. In: Doerksen, Victor G. (Hg.).
    E. M. Darmstadt 1975. S. 399–425.
Ittenbach, Max: »Mozart auf der Reise nach Prag«. In: Germanisch-Roma-
    nische Monatsschrift 25 (1937), S. 338–354.
Kaiser, Hartmut: Betrachtungen zu den neapolitanischen Wasserspielen in
    M's Mozartnovelle. In: Jahrbuch des Freien Deutschen Hochstifts 1977,
    S. 364–400.
Kunz, Josef: E. M. In: Kunz, Die deutsche Novelle im 19. Jahrhundert.
    Berlin 1970. S. 20–29.
Liede, Alfred: Das dämonische Spiel. In: Liede, Dichtung als Spiel. Bd. 1.
    Berlin 1963. S. 67–72.
Mautner, Franz H.: M's Mozart auf der Reise nach Prag. In: Mautner:
    Wort und Wesen. Frankfurt/M 1974. S. 135–160.
Meyer, Herbert: Das Fortleben Mozarts bei E. M. und seinen Freunden. In:
    In Acta Mozartiana Jg. 32, 1985, H. 2, S. 29–40.
Müller, Joachim: M's Mozartdichtung: In: Zeitschrift für Deutschkunde 52
    (1938), S. 10–16.
Poernbacher, Karl (Hg.): E. M.: Mozart auf der Reise nach Prag. Erläute-
    rungen und Dokumente. Stuttgart 1985.
Polheim, Karl K.: Der künstlerische Aufbau von M's Mozartnovelle. In:
    Euphorion 48 (1954), S. 41–70.

Pongs, Hermann: Ein Beitrag zum Dämonischen im Biedermeier. In: Euphorion 36 (1935), S. 251–258; auch in: Pongs, Das Bild in der Dichtung. Bd. 2. Marburg 1939. S. 265–274.

Prawer, Siegbert S.: The Threatened idyll: M's Mozart auf der Reise nach Prag. In: Modern Languages 44 (1963), S. 101–107.

Rokyta, Hugo: Das Schloß in M's Novelle »Mozart auf der Reise nach Prag«. In: Jahrbuch des Wiener Goethe-Vereins 71 (1967), S. 127–153.

Sander, Volkmar: Zur Rolle des Erzählers in M's Mozartnovelle. In: The German Quarterly 36 (1963), S. 120–130.

Weber, Werner: Spiel und Gesetz. »Mozart auf der Reise nach Prag«. In: Weber, Forderungen. Zürich 1970. S. 128–138.

Wiese, Benno v.: »Mozart auf der Reise nach Prag« (1950). In: Doerksen, Victor G. (Hg.), E. M. Darmstadt 1975. S. 380–399.

Woods, Jean M.: Memory and Inspiration in M's »Mozart auf der Reise nach Prag«. In: Revue des Langues Vivantes 41 (1975), S. 6–14.

Zum Gedicht »Denk es o Seele«

Buch, Hans Chr. In: Reich-Ranicki, Frankfurter Anthologie Bd. 5. Frankfurt/M S. 105–108; *Feise*, Ernst (1953). In: Doerksen, E. M. Darmstadt 1975. S. 299–303; *Graham*, Ilse. In: The German Quarterly 52 (1979), S. 218–226; *Henel*, Heinrich. In: Festschrift für Richard Allewyn. Köln, Graz 1967. S. 379–383; *Hoetzer*, Ulrich. In: Hoetzer, Germanistik in Forschung und Lehre. Berlin 1967. S. 157–168; *Holtz*, Günter. In: Holtz, Gestalt, Gedanke, Geheimnis. Berlin 1967. S. 182–194; *Taraba*, Wolfgang F. In: Die deutsche Lyrik, hg. von Benno von Wiese. Bd. 2. Düsseldorf 1956. S. 91–97; *Thayer*, Terence K. In: The German Quarterly 45 (1972), S. 484–501.

Dramatisches

Mörikes Bemühungen um das Drama

Mörike gilt als Lyriker. Daß in seinem Werk quantitativ die Prosa überwiegt, tut dem keinen Abbruch: noch heute kennt man nur weniges. Daß aber Mörike sich angstrengt und ausdauernd, nicht nur auf Drängen seiner Freunde, sondern aus eigenem Antrieb immer wieder – zeitlebens – um das Drama oder mindestens um den Stoff zu einem Drama bemühte, ist weitgehend unbekannt. Im Gegensatz zur Prosa muß man allerdings zugestehen, daß die Vernachlässigung seiner dramatischen Arbeiten nicht zu unrecht besteht. Mörikes Leistung in diesem Bereich steht aus Gründen, die zu zeigen sein werden, weit hinter seinem übrigen Werk zurück. Mehr als das Ergebnis zählt die Bemühung. Nicht zuletzt deshalb, weil es anderen Formen seiner Dichtung, zum Beispiel Balladen und Romanzen, zugute kam.

Bei Mörikes Faszination durch die Bühne spielte das eigene, im privaten Kreis gerne gezeigte schauspielerische Talent eine Rolle, mit dem er oft aus dem Stegreif reale und erfundene Personen karikierte, teilweise zugleich mehrere Rollen einer solchen Szene darstellend, oder – was in Briefen immer wieder erwähnt wird – Fremdes und Eigenes packend vorzulesen wußte.

Im Freundeskreis von Vischer und Strauß galt Mörike als der »Dichter«. Was also lag näher, als sich das von ihm zu wünschen, was für beide die Krone der Dichtung darstellte? »Ich möchte so gern ein Drama von Dir! Ich möchte es der Welt so sehr gönnen!« schrieb Vischer am 1. 4. 1838 an Mörike (Vischer, S. 148). Warum, das formulierte er Jahre später in seiner »Aesthetik« (Bd. 5) so: »Die Poesie ist die Kunst der Künste; im Epos wiederholt sich die bildende Kunst und analog das Naturschöne, in der Lyrik die Musik und analog die Phantasie, im Drama die Poesie selbst und analog die Kunst: das Drama ist die Poesie der Poesie« (S. 1376).

Mörike ließ sich von den Überzeugungsversuchen der Freunde, er müsse ein Drama schreiben, für sich selbst unmerklich, anscheinend doch beeindrucken. Trotz Rückschlägen, trotz seines Wissens um seine seltsam fixierte Persönlichkeit, die nur Kraft eigener Phantasie poetisch produktiv werden konnte.

Einen allerersten Dramen-Versuch verbrannte er noch in derselben Nacht, in der er ihn geschrieben hatte. Die undatierten, wohl um 1826 in Tübingen entstandenen dramatischen Szenen »Spillner« / »Die umworbene Musa« blieben Fragment. Das ein Jahr zuvor entstandene Schattenspiel »Der letzte König von Orplid« war ursprünglich als eine Art Gelegenheitsgedicht nichts weiter als eine Freund Bauer gewidmete Reminiszenz an die gemeinsame Studienzeit. Erst 1830 gliederte es Mörike in den Roman »Maler Nolten« ein. Obwohl er den »Maler Nolten« in wenigen Wochen skizziert und ausformuliert hatte, besaß er selbst in dieser Zeit nicht die Fähigkeit, sich den Gesetzen und Forderungen des Dramas zu stellen. Ludwig Bauer hatte noch in Tübingen angeregt, eine Dramenreihe über die Hohenstaufen zu verfassen. Er selbst nahm sich den (erst 1842 veröffentlichten) »Kaiser Barbarossa« vor. Mörike wählte den »König Enzio«. Am 7. Mai 1829 schrieb er Mährlen, er habe seit einem Jahr nichts mehr am »Enzius« angerührt. Tatsächlich blieb es dann auch ganz liegen, von den damals fertigen Teilen ist nichts erhalten.

Im Laufe der Zeit verlor sich Mörike immer mehr ins eigene, phantastische, kleinteilige Fabulieren, so daß schon der Gedanke an ein Drama, selbst der Wunsch nach einem dafür geeigneten Stoff blanke Utopie, schierer Traum werden sollte. Allerdings zeichnete sich diese Entwicklung früh ab, um sich dann immer mehr zu verstärken. Nicht umsonst hatten die Freunde ihm wiederholt kurweise ein Studium der Geschichte vorgeschlagen, ihm »derbere poetische Fress- und Verdauungswerkzeuge« gewünscht (Brief vom 28. 2. 1838 Strauß' an Vischer; Vischer/Strauß I, S. 50). Hermann Kurz war hier hellsichtiger. Trotz aller Bewunderung, die er für Mörike empfand, riet er ihm von weiteren Versuchen in diesem Genre ab:

»Als ein Dichter [. . .] wirst Du bei günstigem Stoff ein gutes Drama schreiben, aber die dramatische Welt ist schwerlich die Deinige. Du bist nicht historisch [. . .], Du bist psychologisch. Das Drama stellt die einfache Tat schroff genug hin, und ihre Motive sind mehr äußerlich (ich glaube, die meisten müßten Dir plump erscheinen), Du willst in die Tiefen der Tat steigen und sie an den feinsten, letzten Nerven anknüpfen; Du würdest beim Wallenstein die seltsamsten, überraschendsten Entdeckungen hervorgebracht haben, die aber nicht dramatisch gewesen wären. [. . .] Für das, was Historisches an Dir ist, hast Du den Roman, denn Du bedarfst des Verweilens; im Drama würdest Du zu viel Unsichtbares geben und das Sichtbare darüber vernachlässigen [. . .].« (Brief vom November 1838; Kurz, S. 176f.)

Kurz wußte, was er da sagte. Hatte er doch an Stelle Mörikes dessen Oper »Die Regenbrüder« zu Ende gebracht. Vollendet hat Mörike nach anfänglichem Zögern nur noch ein »Dramatisches Spiel« zu Ehren des fünfundzwanzigjährigen Regierungsjubiläums König Wilhelms I. von Württemberg, »Das Fest im Gebirge«, von dem dann doch nicht Gebrauch gemacht wurde. Da Mörike infolgedessen wünschte, es solle niemals veröffentlicht werden, ist es bis heute nur als Handschrift zugänglich.

Literatur

Krauß, Rudolf: M. in seinem Verhältnis zur Schaubühne. In: Bühne und Welt 6 (1903/04), S. 61–71.

»Die Regenbrüder«

Mit diesem Werk hat sich Mörike als Opernlibrettist versucht. Zugrunde liegt, was von Ludwig Uhland und anderen bezweifelt wurde, ein von ihm selbst erdachtes, in seiner Prosaskizze jedoch nicht erhaltenes Märchen: Thebar und Achnarod, zwei Könige und Zauberer, haben einander lange – der eine mit Regengüssen, der ander mit Feuer und Wind – bekämpft und zwei Landschaften sind dem Verderben preisgegeben worden. Dafür müssen, nachdem sie selbst von der Erde geschieden sind, die zurückgelassenen Kinder büßen. Diese sühnen, indem sie, jedes mit den ihm zur Verfügung stehenden Mitteln, den Menschen Gutes tun. Dennoch kann ihre Erlösung erst erfolgen, als sie, ausgehend von einer zufälligen Begegnung, einander in Liebe finden.

Die Idee dazu war Mörike 1834/35 gekommen und er begann auch umgehend mit ihrer Verwirklichung. Da sie in Stil und Motivik den damals üblichen und beliebten Zauberopern entsprach, schien Mörikes poetische Vorliebe hier mit Aussichten auf öffentliche Anerkennung verbunden. Umsomehr, als das Libretto noch vor seiner Fertigstellung von der Intendanz des Stuttgarter Hoftheaters angekauft wurde. Mörike jedoch, krank und in schlechter Stimmung, verschob alsbald immer wieder die Weiterarbeit daran. Zwar hatte er am 4. März 1835 Mährlen seinen guten Willen bekundet: »Jedenfalls will ich doch noch die für Lachner angefangene Oper ausmachen, weil mich dies Stückwerken selbst ärgert und ängstet. Es fehlt zu den beiden fertigen Akten, die Lachner in der Abschrift hat, nur noch der dritte, letzte, welcher in Kurzem fertig sein wird.« (Seebaß I, S. 408)

Dazu sollte es nicht kommen. Liegenlassen konnte er die ihm lästig gewordene Arbeit aber inzwischen nicht mehr, so versuchte er 1836 Ludwig Bauer für die Vollendung seines Werks zu gewinnen. Dieser lehnte entschieden ab, verwies Mörike jedoch an Hermann Kurz. Tatsächlich war Hermann Kurz dazu unter der Bedingung bereit, Mörike anerkenne das Entstehende als sein eigenes »Geisteskind« und sorge selbst für glatte Übergänge. Mörike sagte ihm beides mit Freude zu. Allerdings war von einem dritten Akt keine Rede mehr. Kurz führte im August 1837 die Auflösung bereits mit dem Ende des zweiten Aktes herbei, dem lediglich neue Aufzüge angegliedert wurden. Mörike war auch dies zufrieden. Im Vorwort der »Iris«, in der »Die Regenbrüder« 1839 parallel zur Stuttgarter Aufführung gedruckt veröffentlicht wurden, dankte er Kurz für die Fertigstellung: »Die Ausführung der letzten Szenen dankt der Verfasser, den Krankheit abhielt, während der Komponist auf Vollendung drang, der glücklichen Hand seines Freundes H. Kurtz.«

Die Oper wurde am 22. April 1839 uraufgeführt. Mörike konnte weder diese noch eine der weiteren Vorstellungen besuchen, hatte wohl auch kein Interesse daran. Der Oper selbst war nur ein mäßiger Publikumserfolg beschieden. Sie wurde schließlich schnell abgesetzt und ist seither nirgendwo mehr gespielt worden.

Literatur

Ausgabe
»Die Regenbrüder. Oper in zwei Acten. In Musik gesezt von I. Lachner, königlich württembergischer Musikdirektor, und erstmals aufgeführt zu Stuttgart im April 1839«. Erstdruck in: E. M., Iris. Stuttgart 1839. S. 93–172.

Sekundärliteratur
Rath, Hanns W.: Neue Mitteilungen über M's Oper und seine erste Gedichtausgabe. In: Zeitschrift für Bücherfreunde N. F. 10 (1918), S. 25–28.

»Spillner« / »Die umworbene Musa«

»Spillner« zum einen, »Die umworbene Musa« zum anderen sind keine Titel, die Mörike selbst wählte, sondern die Harry Maync nach der Hauptfigur des jeweiligen Textes bestimmte. In beiden Fällen handelt es sich um Fragmente, die unbetitelt, unveröffentlicht und undatiert dem handschriftlichen Nachlaß Mörikes entstammen. Sie werden hier zusammen behandelt, weil über die bereits genannten Gemeinsamkeiten hinaus vieles, was von Werner von Nordheim detailliert ausgeführt wurde, für die Vermutung spricht, sie gehörten zu ein und demselben Stück.

Beide Fragmente sind in Mörikes letzter Tübinger Studentenzeit, um 1826, entstanden. Anlaß für beide war die in den Zwanziger Jahren erwogene, heftig umkämpfte Verlegung der Württembergischen Landesuniversität von Tübingen nach Stuttgart. Ein von Rath vor Jahren neu aufgefundener Brief Mörikes an Mährlen scheint die Vermutung als Tatsache auszuweisen, daß beide Fragmente Bruchstück eines größeren Stückes sind:

»Was die dramatische Zugabe [zu der geplanten Ausgabe der Gedichte Mörikes] betrifft, so hatte ich anfangs im Sinne ein Fragment, das die im Jahr 1826–27 so lebhaft besprochene Universitäts-Verlegungs-Frage lustig behandelt und einige ziemlich wohlgeratene Studentenscenen etc. hat – mitzuteilen: Allein ich habe mich überzeugt, daß es aus verschiedenen Gründen nicht angängig (worunter das Nichtzeitgemäße der geringste ist).« (Brief undatiert, wohl 1837; vgl. Rath, S. 27)

Noch Harry Maync war diese Zusammengehörigkeit entgangen. Er wies beide Fragmente als nebeneinander entstandene »Gelegenheits- und Gesellschaftspoesie« aus, »die nichts wollte, als einen kleinen Kreis Vertrauter ergötzen« (Mc III, S. 383). Erst von Nordheim überprüfte 1954 Mörikes Aussagen (s. o.) an den erhaltenen Bruchstücken.

»Spillner« ist als Prolog zum eigentlichen Stück gedacht. »Die umworbene Musa« ist die allegorisierte Figur der »Alma mater Tubingensis«, ihre »Kinder« sind die vier Fakultäten und so fort. Dem etwaigen Einwurf, »Spillner« sei zu ausführlich für einen Prolog, hatte Mörike selbst sogar innerhalb seiner »Vorrede« vorgebeugt, »die zwar etwas lang ist, weswegen aber eben das Werkchen selber desto kürzer sein darf, denn es kommt in der Welt bei Sachen derart nicht darauf an, daß wirklich etwas gesagt wird, sondern das Räuspern und Schwadronieren ist alles« (Mc III, S. 392). Die solcherart dokumentierte Einheit nun allerdings durch einen Titel, von Nordheim schlägt »Questiones academicae« (S. 94) oder »Die umworbene Musa« (ebd.) vor, besiegeln zu wollen, wäre jedoch verfehlt. Ersterer hat keine Verankerung in der übrigen Forschungsliteratur, letzterer ist zu einseitig mit dem entsprechenden Fragment verbunden, sein Bezug nicht sinnfällig genug. Auch scheint solche Rücksichtnahme den niemals veröffentlichten Fragmenten unangemessen.

Literatur

Ausgaben

»Spillner« – Erstdruck in: Zwei fragmentarische Prosadichtungen E. M's aus dem Nachlaß hg. von Harry *Maync* in Berlin. I. Spillner. In: Euphorion 9 (1902), S. 699–707.
»Die umworbene Musa« – Erstdruck in: E. M's Werke: Hg. vom Kunstwart durch Karl *Fischer*. Bd. 3. München 1908. S. 23–27 (mit ziemlich fehlerhaftem Text). – Dann in: M's Werke: Hg. von Harry *Maync*. Bd. 3. Leipzig, Wien 1924[3]. S. 385–392.

Sekundärliteratur

Goeßler, Peter: Allerlei Pläne zur Verlegung der Universität Tübingen, insbesondere der vom Jahre 1826 im Lichte E. M's. In: Tübinger Blätter 34 (1943–45), S. 29–47.
Nordheim, Werner von: M's dramatische Jugendwerke »Spillner« und »Die umworbene Musa« – eine Einheit. In: Euphorion 48 (1954), S. 90–94.

Grundlinien der Mörike-Rezeption

Zeitgenössische Rezeption

Mörikes erste Veröffentlichung war sein Roman »Maler Nolten«, in den er zugleich seine besten frühen Gedichte integriert hatte. Vorsichtig lobend, voller Hoffnungen auf den jungen Autor und sein weiteres Werk, gab sich der Tenor der Rezensionen. Zugleich wurde jedoch allenthalben ein Fehler hervorgehoben, ein Zuviel an Personen und Episoden, eine trotz des Ideals der Mannigfaltigkeit in der höheren Literatur nicht mehr akzeptable Häufung. Da diese Art zu schreiben ihre Ursache nicht im Stoff des Romans oder in seinen spezifischen Entstehungsbedingungen – als Aufarbeitung einer Lebensperiode – hatte, sondern ein wesentlicher Bestandteil des poetischen Charakters von Mörike war, konnten die nachfolgenden Erzählungen nur abgelehnt werden. Und da der Lyrik zu diesem Zeitpunkt immer geringere Bedeutung beigemessen wurde, galt Mörikes Name wenig und auch dies ausschließlich im engen, lokal begrenzten Lebensumfeld. Das Tief der absteigenden Bewegung markiert ein Brief Strauß' vom 23. 5. 1837: in ihm versucht er, die Freunde Mörikes zu aktivieren, doch »Anzeigen«, das heißt Besprechungen sämtlicher »Mörikiana« bei verschiedenen Zeitschriften unterzubringen, auf daß »diese Sachen mehr in Umlauf kämen« (Vischer/Strauß, S. 34). Außerdem bittet er die Freunde ausdrücklich um diesen Dienst – »damit's nur keinem Norddeutschen in die Hände fällt« (ebda.).

Zumindest regional bedeutsam wurde erst die »Idylle vom Bodensee«, 1846. Durch sie erreichte Mörike ein größeres Lesepublikum, errang er die Anerkennung namhafter Autoren wie Jakob Grimm und Ludwig Uhland. Ausbauen und verbreitern konnte er die neugeschaffene Basis dann 1853 mit seiner Erzählung vom »Stuttgarter Hutzelmännlein«, ehe ihm seine Novelle »Mozart auf der Reise nach Prag« 1855 den Durchbruch verschaffte. Sie brachte Mörike neben der einhelligen Zustimmung von Freunden, Lesern und Rezensenten den Zugang zum norddeutschen Buchhandel und Leserkreis, sowie zahlreiche Ehrungen. Den Erfolg seiner Novelle kann man in etwa darin ermesen, daß Mörikes Erzählung in Gänze umgehend von Rolland ins Französische übertragen wurde, sein die Novelle abschließendes Gedicht »Denk' es, o Seele!« ins Italienische.

Am Ende seines Lebens galt Mörike nach wie vor als der »idyllische Schwabe« (Prawer, M. und seine Leser, S. 21). Die einen, Vertreter des Jungen Deutschland wie Robert Prutz und Karl Gutzkow, lehnten ihn darum ab. Das übrige literarische Deutschland kannte und liebte diejenigen Werke, die diesem Bild entsprachen, ebenso die Gedichte im Volkston, lehnte aber anderes, zum Beispiel den »Peregrina«-Zyklus, hemmungslos ab.

Mörikes Tod selbst bewirkte zunächst kein neues oder gesteigertes Interesse an seinem Werk. Dies änderte sich 1889 mit der Veröffentlichung zahlreicher Mörikegedichte in Vertonungen von Hugo Wolf (1860–1903). Sie halfen nicht nur Mörikes Namen zu verbreiten, sondern schufen das Bedürfnis, mehr über den Menschen Mörike zu wissen. Erhellung erhoffte man sich dabei aus Biographien (s. Kapitel »Kindheit und Jugend«), denen der hermeneutische Zirkelschluß zugrunde lag, das Leben und Werk einander bedingen: Karl Fischers »Eduard Mörikes Leben und Werke« und der auch heute noch lesbaren Arbeit des für die Mörike-Forschung so wichtigen Harry Maync, »Eduard Mörike. Sein Leben und Dichten«.

Eine tiefgreifendere Wende in der Mörike-Rezeption trat erst mit seinem hundertsten Geburtstag (1904) ein. Nun, da sein Werk nicht mehr gegen Nachdruck geschützt war, wurden neben Einzelveröffentlichungen mehrere Gesamtausgaben (mit Fischer, Krauss, Sallwürk, Leffson oder Maync als Herausgeber) verlegt. Mayncs Ausgabe gilt allgemein als die beste. Nicht nur, weil sie die wissenschaftlichste ist, sondern weil sie als einzige einen Lesartenapparat zumindest in Auswahl, bietet. – Einen genauen Lesartenvergleich für die Prosaerzählungen unternimmt die Arbeit Birgit Mayers (»Eduard Mörikes Prosaerzählungen«). Die historisch-kritische Werkausgabe durch das Marbacher Literaturarchiv befindet sich noch in Arbeit; nur die Edition des »Maler Nolten« ist abgeschlossen. – Eine andere, nicht weniger wichtige Folge der nun einsetzenden Beschäftigung mit Mörike war, daß sein leider inzwischen verstreuter Nachlaß im 1903 gegründeten Marbacher Literaturarchiv gesammelt und bis 1939 sukzessive in Jahresberichten zugänglich gemacht wurde.

Von 1920 bis annähernd 1955 bietet die Mörike-Forschung das uneinheitlichste Bild im Verlauf seiner Rezeption bis heute. Drei Strömungen liefen nebeneinander her: in der einen, eigentlich der kurzlebigsten, sammelten sich die naturgemäß unbefriedenden Versuche, den Dichter durch sein Werk bestimmten literarischen Epochen zuzuordnen. Die zweite gründete sich aus dem gegenläufigen Wunsch, gerade seine unverwechselbare Besonderheit darzustellen. So erklärt sich die zwischen 1928 und 1935 zu beobachtende Häufung an Arbeiten (Bachert, Reinhardt, Völk und Drawert), die eine neue Sicht des Dichters durch seinen psychologisch aufschlußreichen Roman »Maler Nolten« in die Wege zu leiten versuchten. Am Ende erwies sich jedoch die dritte, zugleich konservativste Strömung als die kontinuierlichste: die der Einfühlung mittels biographischer Romane und zwar in der schönenden, der unreflektiert adorierenden Form, die zwar nicht dieser Methode allgemein angelastet werden kann, die aber der Haltung entspricht, aus der die Dichtungen zum Leben Mörikes bis 1952 entstanden.

In seiner Auseinandersetzung mit der zwischen 1945 und 1950 erschienenen Mörike-Literatur folgerte Friedrich Sengle, daß, nachdem es in der Hitlerzeit abgesehen von den Vertonungen Hugo Distlers (1908–1942) recht still um Mörike gewesen sei, sich nun zwar die Interpretationen häuften, allerdings »kaum eine der hier zu nennenden Publikationen in strengem Sinne wissenschaftlich sein« (S. 36) wolle. Gefragt waren nicht Fakten, sondern das, was Benno von Wiese »Dienst am dichterischen Wort« (s. Prawer, M. und seine Leser, S. 78) nannte.

1954, am hundertfünfzigsten Geburtstag des Dichters, war man hinsichtlich seiner Einschätzung trotz allen mittlerweile erlangten Kenntnissen über Leben und Werk im Prinzip wieder auf derselben Ebene wie zu seinen Lebzeiten angelangt. Es gab Bewunderer wie der Schweizer Komponist Othmar Schoeck (1886–1957), den seine Gedichte zu Vertonungen anregten und Gegner, die ihn krass ablehnten wie etwa Georg Lukacs, der die Bezeichnung vom »niedlichen Zwerg« (s. Prawer, M. und seine Leser, S. 83) prägen sollte.

Zwischen 1955 und 1965 wurde es still um Mörike, wie nie zuvor, er schien gänzlich in Vergessenheit zu geraten. Abgesehen von wenigen Arbeiten zu seinen Gedichten wurde kaum etwas über ihn publiziert.

1965 wurde in Stuttgart aus der privaten Mörikesammlung Dr. Fritz Kauffmanns, einem Urenkel des mit Mörike befreundeten Mathematikers, Musikers und Komponisten Ernst Friedrich Kauffmann (1803–1856) eine ständige Ausstellung ins Leben gerufen, um, wie es im Katalog dazu heißt, »in der Stadt, in der Mörike lange Jahre gelebt hat, in der er gestorben ist und begraben liegt, die Erinnerung an den Dichter wach zu halten« (S. 6). Diese Hoffnung wurde zunächst nicht erfüllt. Abgesehen von der tiefe Kennerschaft und Engagement verratenden Darstellung von Gerhard Storz (1966) legte die Mörike-Forschung gleich eine zweite, ebenfalls fast zehn Jahre dauernde Pause ein, ehe sie sich erneut Mörikes erinnerte: 1975 zum hundertsten Todestag des Dichters trug das Literaturarchiv in Marbach/Neckar eine große Ausstellung samt einem ausgezeichneten Katalog zusammen. Doch selbst dies konnte ihn nicht in größerem Ausmaß publik machen; Mörike fiel wie früher bei ähnlich markanten Daten nach kurzer Würdigung wie stets wieder der Nichtbeachtung anheim.

Nach 1980 allerdings trat langsam ein Wandel ein. Anfangs der

80er Jahre nämlich entdeckte man Mörike gerade als den »Verges-
senen«. Als einen, der der Literaturwissenschaft als nur wenig be-
schriebenes Blatt noch echte Aufgaben stellen kann, wobei bisher
teilweise noch nicht einmal die Pionierarbeiten geleistet sind. Aus
diesem Grund wurde Mörike von diesem Zeitpunkt an wieder ver-
stärkt zum Thema wissenschaftlicher Arbeiten aller Art, auch Dis-
sertationen, gewählt. Außerdem wurde der Historisch-Kritischen
Ausgabe ein neuer Band hinzugefügt, dem hoffentlich bald weitere
folgen.

Heute, 1987, kennzeichnet es die Mörike-Forschung, daß ihr
Gegenstand gewissermaßen im Trend liegt. Dies, weil er immer
wieder in eine oft jahrelange Randlage des Interesses gedrängt
wurde und heute gerade das den Reiz einer Beschäftigung mit ihm
ausmacht. Neue Fragestellungen sind für jeden Bereich seines Werkes denkbar und erwünscht. Längst fällige grundlegende Arbeiten
können nun in Angriff genommen werden. Eine davon könnte vielleicht die seit langem bestehende Forderung nach einer neuen, um-
fassenden Biographie erfüllen. Die Mayncs ist zwar brauchbar,
aber überholt und nicht mehr ohne weiteres greifbar. Auch die Peter Lahnsteins, 1986 unter dem Titel »Eduard Mörike. Leben und
Milieu eines Dichters« veröffentlicht, schließt diese Lücke nicht.
Sie ist, der Verfasser selbst bemerkt es im Vorwort, keine literaturwissenschaftliche Untersuchung. In sachlicher Hinsicht hat ihr Simons »Mörike-Chronik« die wesentliche Vorarbeit geleistet. Auch
noch manches andere in Mörikes Werk verdiente bearbeitet zu
werden. Abgesehen von der »Mozart«-Novelle existieren zum Beispiel nur wenige Interpretationen seiner Prosa, so daß hier noch
Nachholbedarf besteht. Doch auch den umgekehrten Fall gibt es.
Den zahlreichen Arbeiten zum »Peregrina«-Zyklus wäre eine Untersuchung günstig, in der die Arbeiten anderer und deren Ergebnisse diskutiert würden.

Literatur

Rezeptionsverlauf
Prawer, Siegbert S.: M. und seine Leser. Versuch einer Wirkungsgeschichte.
    Mit einer M.-Biographie und einem Verzeichnis der wichtigsten Verto-
    nungen. Stuttgart 1960.

Fremdsprachige Mörike-Ausgaben
Französisch: Un voyage de Mozart. Trad. de l'allemand par A. *Rolland*.
    Bruxelles 1859. – Peregrina. Vision française de Jean-P. *Louis*. Paysages
    de Suzanne Hatt-Trocmé. Dammard 1974.

Italienisch: Pensa, o mio core. In: Tradiezioncelle et imitazioni. Fr. Leop. *Benelli*. Zurigo 1868. – Poesie. Gedichte. A cura di Vittoria *Guerrini*. Milano 1948. – Mozart in viaggio verso Praga. Introd. di Claudio Magris. Trad. di Felice Filippini. *Milano 1974*.
Schwedisch: Mozart pa resa till Prag och andra berättelser ((»Die Hand der Jezerte« und »Lucie Gelmeroth«)). Stockholm 1955.
Japanisch: M's Gedichte. Auswahl. Ins Jap. übersetzt von Koichi Ehara. Tokyo 1966.

Vertonungen/Bedeutung der Musik für Mörike

Böschenstein, Bernhard: Zum Verhältnis von Dichtung und Musik in Hugo Wolfs M.-Liedern. In: Wirkendes Wort 19 (1969), S. 175–193.
Haeussinger, Ernst: E. M. und sein musikalischer Freundeskreis. In: Schwäbische Heimat 26 (1975), S. 235–241.
Heinen, Clemens: Der sprachliche und musikalische Rhythmus im Kunstlied. Vergleichende Untersuchung einer Auswahl von M.-Vertonungen. Diss. Köln 1958.
Kneisel, Jessie H.: M. and Music. In: Musica 9 (1955), S. 62–64.
Lesle, Lutz: Musik in M's Leben und Dichten. In: Marquard, E. M. im Lied. Hamburg 1975. S. 7–28.
Marquard, Ute S.: E. M. im Lied. Ein Verzeichnis der Vertonungen von Gedichten E. M's. Zusammengestellt zum 100. Todestag des Dichters. Hamburg 1975.
Pirkel-Leuwer, Ruth: Die M.-Lyrik in ihren Vertonungen. Diss. Bonn 1953.
Rath, Hanns W.: M's musikalische Sendung. Mit ungedrucktem Material aus dem Nachlaß des Dichters und Wilhelm Hartlaubs. In: Zeitschrift für Bücherfreunde N. F. 10 (1918/19), S. 208–213.

Biographische Romane

Emde, Teresa: Peregrina. Ein Roman um die Liebe des jungen M. Tübingen 1952.
Epple, Bruno: Mundart in Prosa und Vers. In: Literatur am See. Bd. 2. Friedrichshafen 1982. S. 13–34.
Grunow, Heinz: Heilige Sünderin. Eine Novelle um M. und Peregrina. Wolfenbüttel 1975.
Härtling, Peter: Die dreifache Maria. Eine Geschichte. Darmstadt, Neuwied 1983[2].
Hesse, Hermann: Im Presselschen Gartenhaus (1913). Stuttgart 1980.
Kneppler, Utta: Peregrina. M's geheimnisvolle Gefährdung. Esslingen/N 1982.
Kulenkampf, Hans W.: Peregrina. Eine M.-Novelle. Hamburg 1948.
Lenz, Hermann: Erinnerungen an Eduard. Frankfurt/M 1981.
Rombach, Otto: Der Jüngling und die Pilgerin. Stuttgart 1949.
Temborius, Heinrich: Alte unnennbare Tage. Königsberg 1939.
Werner, Hermann: Peregrina. In: Feuilleton des Schwäbischen Merkurs. 6. – 22. 6. 1912.

Ziegler, Hansjoerg: Die Liebe hat kein Haus. Ein Versuch über M. in Cleversulzbach. Vaihingen/Enz 1985.

Das literarische Biedermeier
Flemming, Willi: Die Problematik der Bezeichnung »Biedermeier«. In: Germanisch-Romanische Monatsschrift N. F. 8 (1958), S. 379–388.
Greiner, Martin: Der Weg ins Idyll (M. und die Droste). In: Greiner, Zwischen Biedermeier und Bourgeoisie. Göttingen 1953. S. 145–178.
Hermand, Jost: Die literarische Formenwelt des Biedermeiers. Gießen 1958.
Sengle, Friedrich: Voraussetzungen und Erscheinungsformen der deutschen Restaurationsliterartur. In: DVjS 30 (1956), S. 268--294.
Ders.: Biedermeierzeit. Deutsche Literatur im Spannungsfeld zwischen Restauration und Revolution 1815–1848. 3 Bde. Stuttgart 1971–73.
Weydt, Günter: Biedermeier und Junges Deutschland. In: DVjS (1951), S. 506–521.

Mörikes literargeschichtlicher Ort
Gundolf, Friedrich: E. M. In: Gundolf, Romantiker. N. F. Berlin 1931. S. 219–283.
Heinsius, Walter: M. und die Romantik. In: DVjS 3 (1925), S. 194–230.
Hieber, Walter: M's Gedankenwelt. Stuttgart 1923.
Ibel, Rudolf: Weltschau deutscher Dichter. Novalis. Eichendorff. Mörike. Droste-Hülshoff. Hamburg 1948.
Koschlig, Manfred: M's barocker Grundton und seine verborgenen Quellen. Studien zur Geschichtlichkeit des Dichters. In: Zeitschrift für Württembergische Landesgeschichte Jg. 34/35 (1975/76), S. 231–323.
Ders.: Die Barock-Rezeption bei M. Ein Bericht. In: Iaphnis. Bd. 7 (1978), S. 341–359.
Neumann, Gerda: Romantik und Realismus bei E. M. Diss. (Masch.) Göttingen 1951.
Pongs, Hermann: Ein Beitrag zum Dämonischen im Biedermeier. In: Dichtung und Volkstum 36 (1935), S. 241–261.
Sandomirsky, Vera: E. M. Sein Verhältnis zum Biedermeier. Diss. Erlangen 1935.
Schütze, Gertrud: M's Lyrik und die Überwindung der Romantik. Diss. Münster 1940.
Sengle, Friedrich: M's sentimentalischer Weg zum Naiven. In: Sengle, Untersuchungen zur Literatur als Geschichte. Berlin 1973. S. 249–258.
Walder, Hanns: M's Weltanschauung. Zürich 1922.

Mörikes Bibliothek
Janssen, Hans: E. M's Bibliothek. In: Philobiblon 28 (1984), S. 38–47.
Rennert, Hal H.: E. M's Reading and the Reconstruction of his Extant Library. New York, Bern, Frankfurt/M 1985.

Mörike und seine Zeitgenossen

Eggert-Schröder, Hans: M. im Urteil seiner Zeitgenossen. In: Rhythmus 13 (1935), S. 149–154.

Glaessner, Wilhelm: E. M. und der Waiblinger Oberamtsrichter Karl Mayer. In: Schwäbische Heimat 27 (1976), S. 138–148.

Hagen, Walther: Friedrich Notter und E. M. In: Ludwigsburger Geschichtsblätter 18 (1966), S. 180–191.

Lahnstein, Peter: Begegnungen und Nichtbegegnungen. In: Georg Kleemann, Schwäbische Curiosa. Tübingen 1954. S. 189–200.

Maync, Harry: E. M. im Verkehr mit berühmten Zeitgenossen. Mit ungedruckten Briefen von M., Geibel, Auerbach, Hebbel, Robert Franz und Ludwig Richter. In: Westermanns Monatshefte 48 (1903), S. 487–502.

Miyashita, Kenzo: M's Verhältnis zu seinen Zeitgenossen. Bern, Frankfurt/M 1971.

Oswald, Franz: M. und Raabe in Stuttgart. In: Baden Württemberg 16 (1967), H. 1, S. 8–9.

Zeller, Bernhard: Literatur und Geselligkeit. Karl Mayer und seine Freunde. In: Zeller, Waiblingen in Vergangenheit und Gegenwart. Waiblingen 1977. S. 97–116.

Verschiedene Problemkreise

Hafferberg, Ilse: Das Christliche in M's Leben und Werk. Diss. (Masch.) München 1951.

Rüsch, Ernst G.: Christliche Motive in der Dichtung E. M's. In: Theologische Zeitschrift 11 (1955), S. 206–223.

Rüttenauer, Isabella: Vom verborgenen Glauben in E. M's Gedichten. Würzburg 1940.

Fahnenbruck, Heinz Th.: E. M's Humor with Particular Reference to his »Gelegenheitsdichtung« and his Narrative Poetry. In: University of Pittsburgh Abstracts of doct. diss. 47 (1951), S. 17–24.

Jennings, Lee B.: M's Grotesquery: A Post-Romantic Phenomen. In: Journal of English and Germanic Philology 59 (1960), S. 600–616. – Deutsch in: Victor G. Doerksen (Hg.), E. M. Darmstadt 1975. S. 161–185.

Held, Günter: Das schwäbische Element in der Dichtung E. M's. Diss. (Masch.) Tübingen 1951.

Labaye, Pierre: Le symbolisme de M. Etude de la création mörikéenne comme jeu de mirois. Bern, Frankfurt/M 1982.

Wiesmann, Louis: Symbole und ihre Wandlungen bei E. M. Basel 1979.

Bauer, Gerhard: Die künstlerische Selbsttröstung M's. Eine Interpretation. In: Wirkendes Wort 13 (1963), S. 17–25.

Colleville, Maurice: La conception de la poésie et du poete chez M. In: Langues Modernes 43 (1949), S. 265–281.

Dieckmann, Liselotte: M's Presentation of the Creative Process. In: Journal of English and Germanic Philology 53 (1954), S. 291–305.

Jennings, Lee B.: Neues zu M's Okkultismus. In: Neue Wissenschaft 16 (1968), H. 1/2, S. 72–86.

Lupi, Sergio: L'»iter« di M. ((Zum Niederschlag der Empfindungen M's – Hypochondrie, metaphys. Nostalgie und Angst, religiöser Gefühle – in seinem Werk)). In: Lupi, Saggi di letteratura tedesca. Torino 1973. S. 545–590.

Rennert, Hal H.: An Exploration of E. M's Reading with Emphasis on Shakespeare. Diss. (Masch.) Seattle (USA) 1975.

Schwarz, Georg: Die Magie des Feuers. In: Baden Württemberg 16 (1967), H. 2, S. 25.

Märtens-Lüneburg, Ilse: Die Mythologie bei M. Marburg 1921.

Nordheim, Werner von: Die Einsamkeitserfahrung E. M's und ihre Aussprache im dichterischen Werk. Diss. (Masch.) Hamburg 1954.

Prawer, Siegbert S.: M's Second Thoughts. In: Modern Philology 57 (1959/60), S. 24–36.

Rüsch, Ernst G.: Alleinzige Liebe. Die Liebe in der Dichtung E. M's. St. Gallen 1957.

Slessarev, Helga: Die Zeit als Element der poetischen Intuition bei E. M. Diss. Cincinnati (USA) 1955.

Dies.: Der Abgrund der Betrachtung. Über den schöpferischen Vorgang bei M. In: The German Quarterly 34 (1961), S. 41–49.

Taraba, Wolfgang Fr.: Vergangenheit und Gegenwart bei E. M. Diss. (Masch.) Münster 1953.

Trümpler, Ernst: M. und die vier Elemente. St. Gallen 1954.

Tscherpel, Rudolf M.: Die rhythmisch-melodische Ausdrucksdynamik in der Sprache E. M's. Diss. Tübingen 1964.

Zulauf, Walter: M's Bildersprache. In: Rb des Schwäbischen Schillervereins 29 (1925/26), S. 39–62.

Register

Verzeichnis der erwähnten Werke
und Gedichte Mörikes:

Sammlung Metzler

J. B. Metzler